みずほリサーチ&テクノロジーズ

経済がわかる 論点50 2023

東洋経済新報社

はじめに

2020年初から世界を揺るがしてきた新型コロナウイルスは、3年近くを経て、ようやく出口が見え始めている。この間、人々の健康、生活、社会、経済に大きな影響を与え続けてきており、そのなかには、教育や格差など、長期にわたる悪影響が懸念されるものもある。一方で、行政、医療、教育を含めた各分野でのオンラインのさらなる利用、より分散し、自然と親しむような生き方の再発見など、ポジティブな動きも生まれつつある。

昨年の『論点50』の際に予想もできなかった出来事と言えば、2022年2月のロシアによるウクライナ侵攻だ。日本を含む西側諸国は、ロシアに対する金融制裁（特に外貨準備の凍結、国際的な決済網からの金融機関の排除)、主要輸出品に対する輸入制限、半導体等の重要技術や製品の輸出禁止などの措置で対抗しているが、EUはロシアからのエネルギー輸入に依存しており、制裁の効果には疑問符が付いている。中国やインドも制裁には加わっていない。ウクライナ侵攻は、エネルギーや食糧の価格高騰を通じて、コロナ後の回復のなかで各国の物価上昇をより激しいものにしている。

中国と米国あるいは日本を含む西側諸国の間の対立も、より広範なものになってきている。とりわけ米国が貿易、投資、金融、技術などに関して中国に対する制限措置を取るのは、中国の軍事的・経済的台頭、技術覇権、軍民融合、技術・情報の「不当獲得」、国家資本主義的傾向（国家の産業支援、データの囲い込みなど)、それに中国国内での人権問題などを懸念しているからだ。これに対し中国は、米国の動きを、中国の台頭を認めない既存の覇権国の不当な牽制と見て反発している。

このような状況を受けて、地政学上の問題、すなわち安全保障そのものの問題に加え、どのようにすれば相手国による重要物資の供給遮断などのリスクを減らすかという「経済安全保障」が各国で政策課題となっており、米国、欧州、日本、そして中国でも法整備が進みつつある。本書では、「地経学」という項目で、この問題を詳しく取り上げている。しかし、いくら経済安全保障を確実にしようとしても、サプライチェーンは複雑に絡み合っており、分断は簡単ではない。これまでの世界経済の発展は、各国間の友好と協調を踏まえたグローバル化が推進力であった。多少の調整はあっても、よい関係をマネージし、デカップリングを避けるような知恵が求められている。

このほか、世界が直面している課題として、長期的な課題も含めて、①インフレ対応に伴う金融政策の調整（FRB等の金利の引き上げ）、②中国の景気を支えてきた不動産やインフラへの「過剰」投資に伴う債務の増加と返済問題、③米国の中間選挙の帰趨と政策実施の行方、④イタリアなどの政治的不安定さとユーロ圏の国債金利の格差再拡大、⑤コロナで打撃を受けた途上国の債務問題と先進国の金利上昇の影響、⑥日本をはじめ先進各国における政府、企業、家計の債務のGDP比上昇と持続性への懸念、⑦気候変動への対応と脱炭素への「移行」、⑧GAFAなど巨大プラットフォーム企業や仮想通貨、非公開会社、シャドーバンキングなどへの課税や規制の問題、を挙げておきたい。

『経済がわかる 論点50　2023』は、日本経済、海外経済、金融・マーケット、制度・政策、ビジネス・社会の5つの領域における50の論点を解説したものである。上記のような問題に関わる項目に加え、大学ファンドやメタバースなどの新しい分野も取り上げている。従来のみずほ総合研究所にかわり、みずほリサーチ＆テクノロジーズとして発行する『論点50』の2回目のものになる。みずほリサーチ＆テクノロジーズは、2021年にみずほ情報総研、みずほ総合研究所、みずほトラストシステムズが合併して発足した。本書の執筆に当たっては、合併した3社のシナジーに加え、みずほ銀行産業調査部の専門家の協力を得ている。

最後に、本書の出版に際しては、東洋経済新報社出版局の皆様に例年に引き続き全面的にお世話になった。この場をお借りして深くお礼を申し上げたい。本書がコロナ禍からの回復の期待とともに、さまざまな不確実性の高まりに直面する現下の世界と日本の経済を読み解くうえで、少しでも読者の参考になることを願ってやまない。

みずほリサーチ＆テクノロジーズ株式会社
理事長　中尾武彦

目次

第2章 海外経済がわかる10の論点

第4章 制度・政策がわかる10の論点

第5章 ビジネス・社会がわかる10の論点

第Ⅰ部

チーフエコノミスト
太田智之の視点

混迷する国際秩序・不透明感増す世界経済
～成長と分配の好循環実現に向けてカギ握る人的資本投資～

第1節 根強い構造的なインフレ圧力。物価高と金融引き締めが世界経済の重石に

1.1 ロシアのウクライナ侵攻で揺らぐ戦後の国際秩序

本書のような経済予測に関する書籍では、従来から「不確実性」や「不透明感」という言葉が頻繁に使われるが、ここ数年は「想定外」という言葉もよく見かけるようになった。干ばつや洪水、地震といった天災のほか、痛ましい事件や事故等に言及するケースが多い。その最たる例が2020年のパンデミックだが、2022年2月24日に起きたロシアによるウクライナ侵攻も、パンデミックに勝るとも劣らない「想定外」の出来事といえるだろう。もちろん軍事専門家を中心に侵攻リスクを指摘する意見はあったが、軍事侵攻やその後の統治にかかる莫大なコストに加え、国際社会からの反発を考えれば、軍事侵攻にまで至る可能性は低いとの評価が当時は大勢を占めていた。

それだけにロシアによるウクライナ侵攻が、世界に大きな衝撃を与えたのは周知のとおりだ。当事国や周辺国だけでなく、遠く離れた日本も無縁というわけにはいかない。資源価格高騰を受けてガソリンや電気代、食料品の値上げが相次いだほか、ロシアに対する西側諸国の経済制裁や、「ガスの武器化」に代表されるロシアの報復措置は、エネルギー政策に限らず、通商や外交、国防に関する戦略見直しの必要性をあらためて認識させた。また、ウクライナ侵攻をきっかけに脱ロシアを進める西側諸国と、西側諸国への対抗軸としてロシアへの関与を続ける中国との溝・ズレはますます広がりつつあ

り、西側諸国と協調しながら、国境を接し、経済的にも関係が深い中国とどうかかわっていくのか、日本の政府ならびに企業は従来に増して難しい課題に直面している。いずれにせよロシアのウクライナ侵攻をきっかけに、世界は戦後の国際秩序に代わるあらたな秩序の形成を模索するフェーズに入ったといえそうだ。

1.2　40年の時を経て蘇ったインフレという名の魔物

エネルギー大国ロシアと食料大国ウクライナの対立は、すでにコロナ禍による行動制限や供給網の混乱等によって高まりつつあったインフレを加速させた。図1はOECD加盟国のインフレ率をみたものである。折からの通貨下落と相まって前年比80％というハイパーインフレに見舞われているトルコはもとより、トルコを除くOECD加盟国全体でみた消費者物価上昇率も足元で同7.7％と34年ぶりの伸びとなっている。米国に至っては8％を上回り、40年ぶりの水準だ。

こうしたインフレ高進を受けて、世界の中央銀行は金融引き締めによるインフレ抑制へと大きく舵を切った。FRBやECB、BOEは、通常に比べ、2倍、3倍のスピードで利上げを実施、今や日本を除く主要先進国では2倍速、3倍速での利上げが国際標準となりつつある状況だ。

ただし中央銀行の果敢な利上げにもかかわらず、インフレ圧力は当面の間くすぶり続けることになるだろう。なぜなら、今回のインフレは、パンデミックの後遺症や新たな国際秩序をめぐる大国間競争といった構造的な要素を色濃く反映しているからだ。

もちろんコロナ禍はすでに3年目に入り、ワクチンや治療薬の開発・普及も相まって経済の正常化は進んでいる。実際、行動制限や財需要の増加、いわゆるコロナ特需による物流の混乱・遅延は改善傾向にある。しかし一方で、労働供給の観点からみれば、感染懸念やパンデミックを経験したことによる価値観の変容などから、働き手の戻りは鈍く、労働需給ひっ迫の長期化が懸念されている。すでに米国や英国では、深刻な人手不足による賃金上昇が、人件費負担の転嫁を通じて広範な財やサービスの価格に波及しつつある状況だ。

図1　OECD加盟国全体ならびに日米の消費者物価指数

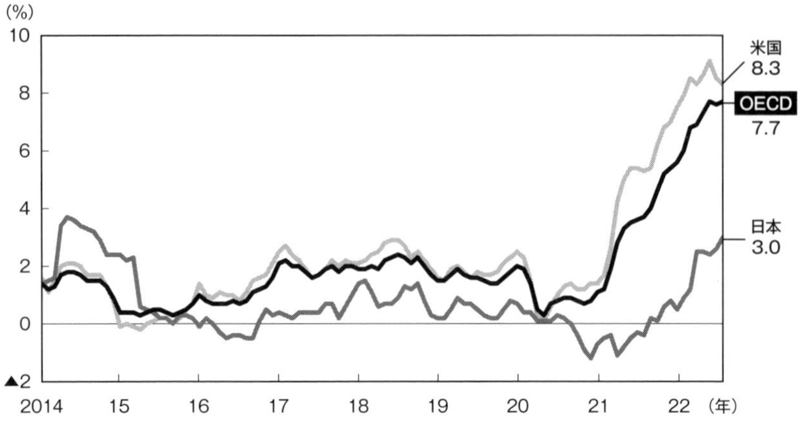

(注) OECD平均はトルコを除くベース
(資料) OECDより、みずほリサーチ&テクノロジーズ作成

また大国間競争では、輸出入や直接投資の制限を通じて自国にとって望ましい国際環境の構築を目指す動き、いわゆるデカップリングが加速しており、効率的なサプライチェーンを前提とした企業の価格戦略は修正を迫られている。これに加えて、脱炭素への移行がエネルギー価格を高止まらせる方向に作用している点も見逃せない。

こうした構造的なインフレ圧力は、既存の経済システムが環境変化に対応する際に生じる摩擦熱のようなものと理解すればいいだろう。言い換えれば、環境変化への対応が続く限り、構造的なインフレ圧力もなかなか弱まりづらいということだ。したがって2023年以降、世界のインフレ率は徐々に減速するものの、そのペースは緩慢なものにとどまるとみている。欧米主要国を中心にインフレ率は2023年も中央銀行の物価目標を上回る状況が続く見通しだ。その結果、引き締め的な金融政策運営も維持される公算が大きい。

1.3　世界経済は大きく減速。欧米は景気後退入り

経済活動の面では、物価の高止まりによる購買力の低下に加え、中央銀行による金融引き締めで世界経済は大きく減速するとみている。みずほリサー

表1　世界経済成長率の見通し

（前年比、%）

（暦年）	2020	2021	2022	2023
	実績		見通し	
世界実質GDP成長率	▲3.1	6.1	2.4	2.0
日米欧	▲5.0	5.2	2.3	0.1
米国	▲3.4	5.7	2.2	0.3
ユーロ圏	▲6.4	5.3	2.5	▲0.7
英国	▲9.4	7.4	3.4	0.5
日本	▲4.5	1.7	1.3	1.8
アジア	▲0.9	7.1	4.7	4.7
中国	2.2	8.1	4.0	5.0
日本（年度）	▲4.5	2.2	1.8	1.2

（注）網掛けはみずほリサーチ＆テクノロジーズ予測値
（資料）IMF、各国統計より、みずほリサーチ＆テクノロジーズ作成

チ＆テクノロジーズでは、2022年、2023年の世界経済成長率をそれぞれ2.4%、2.0%と予測している（表1）。いずれの年も世界経済の好不調の目安とされる3%半ばの伸びを大きく下回り、停滞感の強い状況が続くことになるだろう。そのなかでも、とりわけ急ピッチの利上げが続く米国と、軍事衝突の主戦場となっている欧州は景気後退局面入りが避けられない見通しだ。

欧州はロシアのガス供給削減で需要期である冬場のガス価格がさらに上昇すると見込まれており、2022年第4四半期にはマイナス成長に転じるとみられる。春の訪れとともにガス需給のひっ迫は緩和し、経済も持ち直しに向かうとみているが、今冬は厳しい経済環境にさらされることになるだろう。今のところ底堅く推移している米国経済も、年末にかけて中立的とさせる水準を大きく上回る4%近傍までの利上げが見込まれるなかで、2023年前半にはマイナス成長に転じると予測している。

なお、欧州、米国とも景気後退局面入りはするものの、民間部門でその後の景気回復を阻害するような過剰投資や過剰債務といった「経済の歪み」が生じている兆候は今のところ見受けられない。労働供給の制約が残るなかで労働市場の悪化も限定的とみられることから、落ち込みの深さは浅く、後退期間も過去と比べて短期にとどまる見通しだ。

第2節 日本におけるインフレ期待の高まりはデフレ脱却の萌芽となるか

2.1 グローバルインフレとは一線を画す日本

世界各国でインフレが猛威をふるう一方、日本のインフレ率は相対的に低位にとどまっている。もちろん低位とはいえ、消費増税の影響を除けば30年ぶりの水準であり、ひとまず日本銀行が物価目標とする2%も超えた。市場で今もなお金融緩和見直しの可能性をつぶやく人の気持ちは理解できる。しかし、黒田総裁が頑なに否定しているとおり、近い将来、日本銀行が金融政策の修正を行う可能性はきわめて低い。足元のインフレが輸入物価の上昇に起因するものであり、持続性に欠けるからだ。

持続的な物価上昇のためには、物価の5割を占めるサービス価格の上昇が不可欠だが、そうした兆しは未だみてとれない。サービス価格の大半は人件費が占めており、結局のところ賃金の伸びの弱さが影響していると言える。事実、日本における一般労働者の所定内賃金の伸びは1%程度にとどまっており、サービス物価を押し上げるには力不足な状況だ。堅調な企業収益を背景に来春の春闘に期待する見方もあるが、先行き不透明感が強いなかで大幅なベースアップが実現すると自信をもって言える根拠は今のところ乏しい。

2.2 日本で高まる家計のインフレ期待

一方で、消費者の先々に対する物価予想には変化の兆しがうかがえる。

図2は消費者が予想する1年先の物価見通しを尋ねたものだ。これをみると、消費者のおよそ9割がこの先も2%以上の物価上昇率が続くと予想している。また、そのうちの7割は5%以上と回答しており、消費者の先々の物価予想、いわゆるインフレ期待が大きく高まっている様子がみてとれる。黒田総裁は国会答弁で、家計の値上げ許容度が高まっていると発言し批判を浴びたが、「許容」しているかどうかは別として、多くの消費者がしぶしぶながらも物価高を受け入れざるを得ないと覚悟していることは確かだろう。

ただ日本では、消費者のインフレ期待の高まりが持続的な物価上昇につながるとみる専門家は未だ少数派だ。当社を含め多くの予測機関は、2023年の

図2　消費者が予想する1年先の物価見通し

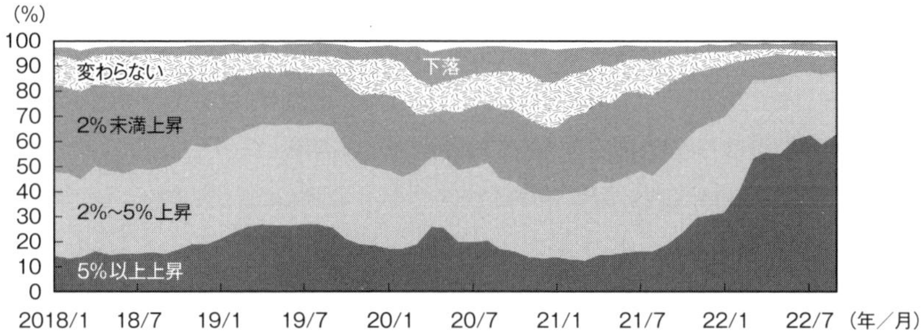

（注）二人以上世帯
（資料）内閣府「消費動向調査」より、みずほリサーチ＆テクノロジーズ作成

消費者物価上昇率について1％前後まで再び低下すると見込んでいる。長年にわたり賃金が伸び悩む日本では、消費者が物価上昇を見越して節約志向を強める結果、企業は価格転嫁を躊躇せざるを得ないとの見方が背景にある。

2.3　日本の長期停滞の背景にある企業と家計の暗黙ルール

確かに90年代から続く日本のディスインフレは、まさに企業の価格転嫁力の弱さを反映したものと言える。ただその企業行動を陰で支えていたのが、労働者（＝消費者）による賃上げ要求の弱まりであることも重要な点だ。

バブル崩壊によって大きな痛手を負った日本企業は、コスト構造見直しの一環として賃金抑制に着手した。労働者も就業機会の消失をおそれ、企業の要求を受け入れたが、賃金抑制で購買力が低下した労働者に値上げを受け入れる余裕はない。その結果、企業の価格転嫁のハードルが高まり、価格据え置きが常態化するという悪循環に陥ったのである。要するに、企業からすれば「価格転嫁しないかわりに賃金の伸びを抑える」、労働者からすれば「賃金上げは我慢するかわりに価格転嫁しない」という、暗黙のルールが社会で共有されたわけだ。

こうした日本特有の社会ルールは経済危機を乗り切るための知恵ではあったものの、日本経済に低成長という副作用をもたらした。賃金抑制で購買力が低下した家計の消費は低迷、また価格転嫁によって適正なマージンを得ることができなくなった企業は更なるコスト削減に邁進し、新商品開発等将来への投資を抑制せざるを得なかったからだ。まさにデフレスパイラルの罠を体現したのが日本経済の長期停滞であったと言えるだろう。

2.4 おぼろげながら見えてきたデフレ脱却への道筋

しかし昨今の資源価格高騰と円安の急進は、こうした社会規範の維持を難しくした。食料品を中心に企業が価格転嫁を推し進めているのはまさにその証左である。グローバルなインフレ圧力が、先述のとおり構造的な要因によるものとなればなおのことだ。

その点において、消費者がしぶしぶながらも今後の物価上昇を受け入れざるを得ないと考え始めているのであれば、それは消費抑制のリスクであると同時に、新たな社会規範を共有し長期低迷の悪循環から抜け出す千載一遇のチャンスととらえることも可能だ。

これを機に企業の適正な価格設定が常態化し、投資や賃上げ余力が高まれば、真のデフレ脱却に向けた道筋が見えてくるかもしれない。本書が対象とする2023年にデフレ脱却を体感できるまでには至らないものの、そうした萌芽が確認されるか、まずは2023年の春闘が先行きを占う上で重要な試金石となるだろう。

第3節 低調な対内直接投資が示唆する日本の課題

3.1 円安にもかかわらず日本への投資に慎重な外国企業

インフレ退治に邁進する欧米主要国の中央銀行と、物価上昇の持続性を懸念する日本銀行。金融政策のスタンスの違いが急激な円安の一因であることは疑いのない事実である。資源高と相まって評判がすこぶる悪い円安だが、日本経済にとって必ずしも悪影響ばかりというわけではない。確かに、海外製品やサービスを購入する立場からすれば、外貨建ての値段が同じでも円安になった分だけ従来よりも高い代金を支払う必要がある。世界でモノやサービスの価格が上昇している現在の局面では、その負担感はなおのこと大きい。

一方で、海外に製品やサービスを輸出する場合、外貨建ての収入が同じでも円安になった分だけ円建ての収入が増えるため利益がかさ上げされる。実際、自動車のほか、工作機械メーカーや商社等、海外ビジネスを幅広く手掛ける企業が円安の恩恵を享受しているのは各社決算からも明らかだ。

加えて、日本への投資を呼び込むという点でも円安は追い風になる。外貨ベースで測った日本の不動産や生産設備はもとより、日本企業自体の買収が格安になるからだ。しかし、年初来の急激な円安にもかかわらず、外国企業による日本への投資が盛り上がる兆しはうかがえない。ここでは、円安でお値打ち感が高まっているにもかかわらず、外国企業による日本への投資が増えないのはなぜか。対内直接投資というレンズを通じて、日本経済が抱える課題について考えてみることにしよう。

3.2 世界でも見劣りする日本の対内直接投資

まず海外から日本にどれくらいの投資が行われているのか、日本の対内直接投資の現状を確認する。2022年上期に実行された対内直接投資額は、円安の追い風を受けたにもかかわらず21.1兆円と、2021年下期の22.8兆円から7％程度減少した。2016年以降、概ね年間40兆円前後で推移しているので、この程度の減少は誤差の範囲とも解釈できるが、年初来2割近く円安が進行したにもかかわらず海外からの投資が促された形跡はみてとれない。

そもそも日本の対内直接投資は、ほかの主要国と比較しても少ないという特徴がある。2021年末時点における各国の対内直接投資残高（毎年の実行額から回収額を差し引いたものの累積）をみると、断トツの1位が米国の13.6兆ドルで、以下英国（2.6兆ドル）、オランダ（2.6兆ドル）と続き、日本は30位（0.3兆ドル）にとどまる。これは先進7カ国の中でも最下位に位置する。アジアの国々との比較においても、成長期待の高い中国やインドはもとより、日本より経済規模が小さいシンガポールやタイ、韓国をも下回る水準である。日本の対外直接投資残高が、米国・オランダ・中国・英国・カナダ・ドイツに続く世界7位であるのとは対照的で、外国企業による日本への投資がきわめて少ない実態を表している。

3.3 対日投資低迷の背景にある日本の「人材不足」

なぜ、外国企業による日本への投資が盛り上がらないのか。それは言葉や

図3　日本でビジネス展開する上での阻害要因

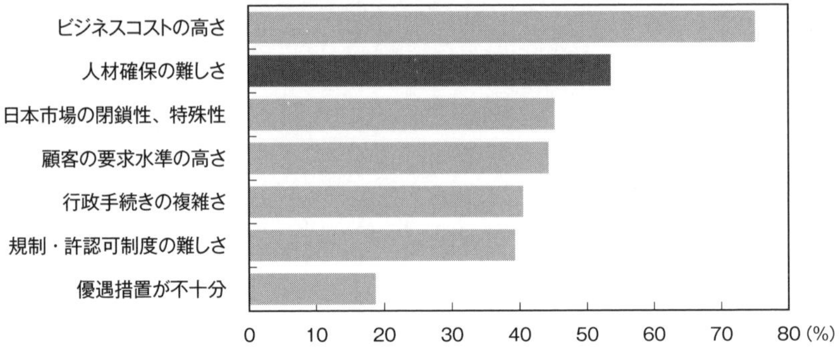

（注）2,476社が回答。各回答者は上位5項目まで選択可
（資料）経済産業省「外資系企業動向調査」より、みずほリサーチ&テクノロジーズ作成

慣習等の障壁の高さに加え、円安の追い風を受けてもなお投資に見合うだけの収益が見込めないからだ。実際、ジェトロのアンケート調査によると、日本市場に魅力を感じていながら、およそ75％の海外企業が「ビジネスコストの高さ」を日本のおけるビジネス展開の阻害要因として挙げている。「ビジネスコストの高さ」とは裏を返せば、費用に見合うだけの売上高を確保することが難しい、つまり十分な収益が見込めないということだ。

もちろん日本企業との厳しい競争を勝ち抜くのは並大抵のことではない。ただ一方で、日本に進出しようとする外国企業は日本で戦えるだけの技術やノウハウを持っているケースが多いことを考えると、問題はそうした技術・ノウハウを活用できない、もしくはしづらいことにあると見た方がよいだろう。その一例が「人材不足」だ。事実、日本に投資する際のボトルネックとして「人」の問題を指摘する海外企業は少なくない。先述のジェトロ調査では、外国企業の53.6％が日本におけるビジネス展開の阻害要因として「人材確保の難しさ」を挙げている。日本で収益性の高いビジネスを展開したくても、必要なスキルを持った人材が十分確保できないというわけだ。

3.4　深刻化する雇用のミスマッチ問題

ちなみに高スキル人材の不足を嘆いているのは外国企業だけではない。日

図4　大企業と中小企業の雇用判断DI

（注）22年10-12月期は先行き判断
（資料）日本銀行「全国企業短期経済観測調査」より、みずほリサーチ&テクノロジーズ作成

本企業も必要な人材の確保に苦労しているのが現状だ。その典型がデジタル人材である。日本企業はこれまでハード・ソフトの両面で巨額のデジタル投資を行ってきたが、未だ十分に成果を上げているとは言い難いのが実態である。実際、ボストンコンサルティング・グループの調査によると、デジタル化で想定どおりの成果を上げることができていると回答した日本企業は全体の14%にとどまる。

また総務省が実施した調査では、デジタル投資の必要性を認識しながらも、半数以上の企業がDXを進めるにあたって「人材不足」を課題に挙げている。

ここではデジタル人材を例に挙げたが、日本の人材不足はさらに根が深い問題である可能性が高い。

8月末時点で雇用調整助成金の受給事業所割合は、サービス業を中心に17.9%に達している。これは未だリーマン・ショック時の7.1%を大きく上回る水準だ。人数換算でおよそ50万人の潜在的な失業者を企業が抱えている計算となる。一方、日銀短観の雇用判断DIは大企業、中小企業とも大幅な不足超過となっており、必要な人材を確保できていない企業の窮状を表している（図4)。これらのデータが示唆するのは、労働の量と質の両面において、業種や企業規模間におけるミスマッチが深刻化している現状である。人口が減少する日本で労働者を確保することは、今後ますます難しくなる。学び直しの機会提供を通じて労働者のスキルアップをサポートするとともに、スキルを持った労働者がより活躍できる場所で働くことができるよう、労働市場の流動化を促すことが肝要だろう。

3.5 岸田政権が注力する「人的資本投資」に必要な視点

こうした状況下、岸田政権が掲げる「新しい資本主義」では、成長戦略の中核に「人的資本投資」が据えられた。科学技術やイノベーションの促進に加え、能力開発支援等を通じて、経済成長を支える高スキル人材を増やし、成長と分配の好循環につなげる狙いがある。

やや遅きに失した感はあるが、デジタル化・サービス化という世界経済の潮流変化への対応を促す点で、岸田政権の人的資本投資を重視する戦略は正しいと言える。実際、オン・ザ・ジョブ・トレーニング（OJT、職場内訓練）を重視してきた日本企業は主要国のなかでも能力開発投資の少なさが際立っており、人的資本投資の重要性はかねてから指摘されてきた。

一方で、岸田政権が人的資本投資で挙げた政策をみると、訓練経費の助成率引き上げやグリーン・デジタル分野での雇用助成金拡充といった従来の制度を基盤としたメニューがずらりと並んでおり、これまでの実績を踏まえると、果たしてそれで高スキル人材が増えるのかやや気がかりなのも事実だ。実際、OECDの成人教育評価に関する国際比較では、制度に関する国民の認知度の低さに加え、企業ニーズに合致した実践的プログラムの整備や、職業訓練と就労支援を組み合わせた施策の展開など、多くの改善点が指摘されている。政策メニューの提示とその予算化で終わるのではなく、当事者となる企業や労働者目線での議論が不足してはいないか、また運用面で不都合はないか、人的投資の効果を最大限享受するために不断の見直しが欠かせない。岸田首相は7月に行われた参議院選後の記者会見で、政権の基盤は国民の皆さんの「信頼と共感」だと述べた。果たして人的資本投資の重要性に共感し実践する企業や国民がどれだけ出てくるのか。これまでの車座集会で研ぎ澄ましてきた首相の「聞く力」の真価が試される局面を迎えたと言えそうだ。

第Ⅱ部

2023年の経済がわかる50の論点

第1章　日本経済がわかる10の論点
第2章　海外経済がわかる10の論点
第3章　金融・マーケットがわかる10の論点
第4章　制度・政策がわかる10の論点
第5章　ビジネス・社会がわかる10の論点

第1章 日本経済がわかる10の論点

1 国内景気
2 企業収益
3 設備投資
4 雇用・所得
5 個人消費
6 住宅
7 財政政策
8 輸出
9 物価
10 人的資本投資

1 国内景気

サービス中心に回復維持も、海外経済減速が逆風

2022年はサービス消費を中心に回復基調も、コロナ禍や物価高が下押し

2022年の日本経済は、夏場に感染第7波に見舞われる等、引き続きコロナ禍が回復の阻害要因になった。ワクチン接種の進展等を受けて人出は回復傾向で推移したものの、消費行動には慎重姿勢が残り、外食、宿泊、旅行・交通、娯楽等のサービス消費の回復ペースは年間を通じてみれば緩やかなものになった。国内のみならず、中国の感染拡大に伴う一部の都市のロックダウンに伴うサプライチェーンの混乱、さらにはゼロコロナ政策の継続による中国経済の減速が自動車等の生産・輸出を下押しした。

加えて、日本経済にとって大きな逆風になったのがウクライナ情勢の緊迫化だ。日本の貿易・直接投資に占めるロシア向けのシェアは低く、対ロ貿易停滞による直接的なマクロ経済への影響は限定的であった（ただし、総合商社等のロシア進出企業は経営戦略見直しを迫られた）。一方、商品市況が高騰したことに伴う交易条件の悪化（輸入物価の高騰）が企業・家計の負担を大きく増加させた。企業については、原材料・運送コスト上昇により輸送機械、素材産業、エネルギー業種、運輸・郵便等を中心に収益が圧迫され、設備投資や賃金の抑制要因になった。家計については、ガソリン・電気代や食料品等、生活必需品の価格上昇により、実質賃金がマイナスで推移し、個人消費を下押しした。

このように、人出の回復を受けてサービス消費を中心に経済活動は回復に向かった一方、交易条件の悪化や中国経済の減速等が下押し要因になったことで日本経済の回復ペースは緩やかなものにとどまり、2022年の需給ギャッ

図1　需給ギャップはマイナスが継続

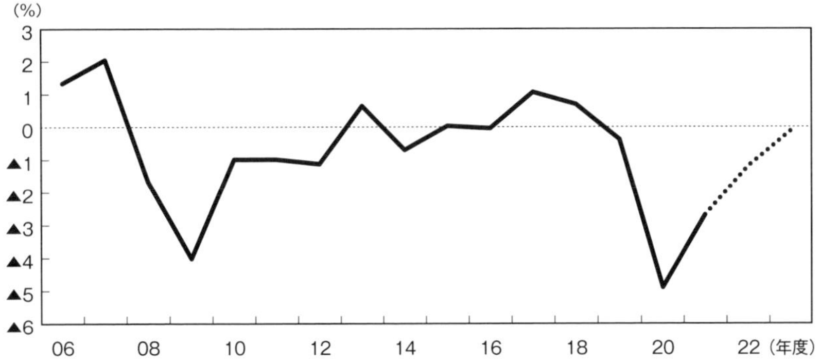

(注) 破線は予測値
(資料) 内閣府などより、みずほリサーチ&テクノロジーズ作成

プはマイナス圏での推移が続いた（図1）。

円安による経済的なメリットは縮小

前述のとおり、2022年の日本経済にとって交易条件の悪化は大きな下押し要因になったが、資源価格高騰とあわせて輸入物価上昇に寄与したのが歴史的な円安である。一般的には、円安は輸出の増加等を通じて日本経済にプラスの影響を及ぼすと説明されるが、2022年は円安のメリットが薄いなかで「悪い円安」が強く意識される状況となった。

まず、円安のメリットについては、①海外生産比率の上昇、輸出競争力低下といった構造的な要因に加え、②資源高・金利上昇に伴う海外経済の減速、③水際対策の継続によるインバウンド旅行者の低迷、④半導体を中心とした供給制約等の一時的な要因が相まって、従来ほどの恩恵を享受することができない状況であった。

一方、円安のデメリット（輸入コストの上昇）については、①資源高との同時進行が輸入物価上昇を増幅させたという一時的な要因に加え、②恩恵がグローバル展開している業種・企業（輸送用機械、電気機械、卸売等）に限定される一方で、コスト負担は広範な業種に及ぶという構造的要因により、7割の企業・6割の就業者がデメリットを実感する状況にあった。

輸入物価上昇の主因は資源高であったが、これらの要因を受けて「悪い円安」が意識される状況が続いた。資源輸入国である日本としては、交易条件悪化のデメリットが強く意識される点についてはやむを得ない面もあろうが、円安で補えないほど日本産業の国際競争力が趨勢的に低下してきている点は憂慮すべき問題だ。過去、アベノミクス期の円安局面においても日本のエレクトロニクス分野等の付加価値ベースでみた輸出額が伸び悩んでいる。グリーン化を着実に進めて化石燃料への依存度を低下させる等輸入コスト上昇に対する経済の頑健性を高めることに加え、技術革新の支援等を通じて産業競争力を中期的に高めていくことが今後の課題となるだろう。

2023年もサービスを中心にプラス成長継続を予測

2023年もコロナ禍の影響が収束することに伴い、サービスを中心に個人消費の回復は継続する公算が大きいほか、インバウンドの受入も徐々に拡大されるだろう。

コロナ禍の影響が長引くなか、日本はこれまで欧米対比で経済活動の回復が遅れてきたが、逆に言えば、その分回復余地が残されている状況だ。個人消費の15%程度を占める対人サービス消費が（リベンジ消費とまではいかなくても）コロナ禍前の水準を取り戻すだけでも、2022年から2023年にかけてGDPを2%以上押し上げる効果が期待できる。

インバウンドについても、本格回復は中国のゼロコロナ政策解除後の2023年後半以降を見込むが、インバウンドの受入拡大が進むことでサービス業を中心に経済活動を押し上げるだろう。インバウンド需要が2023年後半以降に回復ペースを速めることで、2023年度にかけてGDPを0.9%程度押し上げるとみている。

このように、サービス分野を中心に経済活動の回復基調が継続することで、日本経済は2023年もプラス成長が継続すると予測している。

欧米の景気後退など海外経済減速が逆風に

一方、日本経済にとっての大きなリスク（下振れ要因）は、急速な利上げやロシアからの天然ガス供給縮小等に伴う欧米の景気後退だ。

図2　外需下振れで日本の産業にマイナス影響

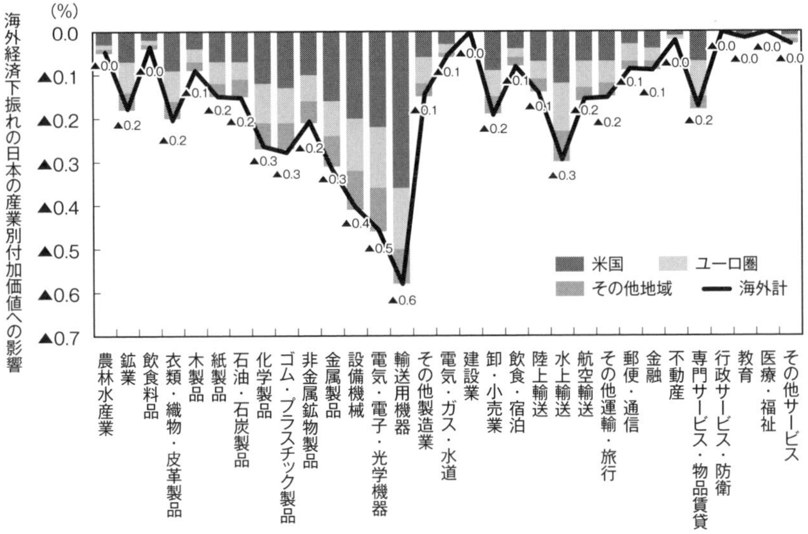

（注）2023年の付加価値減少率を図示。欧州はユーロ圏19カ国
（資料）OECDより、みずほリサーチ＆テクノロジーズ作成

米国経済は高インフレを受けたFRB（連邦準備制度理事会）による急速な利上げを受けて2022年冬から2023年にかけて景気後退入りする可能性が高い。インフレ率が高止まりした場合、更なる利上げを余儀なくされ、調整が深刻化するリスクが残存している。欧州経済についても、天然ガス価格の高騰等を受け、2022年冬から2023年にかけて景気後退入りが見込まれる。

欧米を中心とした海外経済の減速により輸送用機器、電気・電子・光学機器、設備機械等の輸出は下振れるだろう（図2）。設備投資も下押しされ、2023年の日本のGDPは▲0.6％下押しされると見込んでいる。

前述したようにサービスを中心に回復が進展することで日本経済は景気後退を回避できるとみているが、海外経済の減速で日本経済の回復ペースは緩慢なものにならざるを得ない。GDPがコロナ前（2019年平均）の水準を取り戻すのは2023年後半まで遅れるだろう。海外経済の下振れリスクを意識しなければならない1年となりそうだ。

2 企業収益

コスト高のなか再び注目される中小企業の低収益性

2022年は売上高が増加するも、資源高や円安によるコスト増で採算は悪化

2022年度の企業業績は、資源価格の高騰を受けて利益率が低下する見込みだ。日銀短観・9月調査（全規模・全産業）では、売上高計画が前年度比＋6.0％と大幅に増加した一方、経常利益計画が同＋1.1％と小幅な伸びにとどまった。サービス消費の回復をはじめ、コロナ禍からの正常化が売り上げ増につながるものの、国際的な資源高を受けた仕入コストの増加が、多くの業種で利益を下押しするだろう。利益率が大きく改善するのは宿泊・飲食サービスや運輸・郵便業等、サービス消費回復の恩恵を大きく受ける一部の業種に限られると予想される。

また、2022年3月以降急速に進んだ円安も企業の採算を悪化させる要因になる。帝国データバンクが2022年8月に実施した「円安に関する企業の影響アンケート」では、「業績改善要因」と回答した企業が約1割にとどまった一方、「業績悪化要因」との回答は約8割に達した。業績悪化の理由として、ほとんどの企業が円安によるコストの増加を挙げている。

一般的に、円安は日本経済に全体としてプラスの影響があるとされるが、短期的な視点でみると、中小企業は円安のメリットを享受しにくい構造になっている。急速な円安に伴う短期的なメリットの代表例には、ドル建ての輸出売上や海外直接投資収益の円換算額が増える為替差益がある。しかし、これらは海外取引をしている企業にしか直接的な恩恵がない。日銀短観を用いて売上高に占める輸出額の割合を計算すると（図1）、中小企業は全産業で約2％と低く、取引の大半が国内向けである。一方、大企業は全産業で約17％

図1　中小企業の売上は、大部分が国内向け

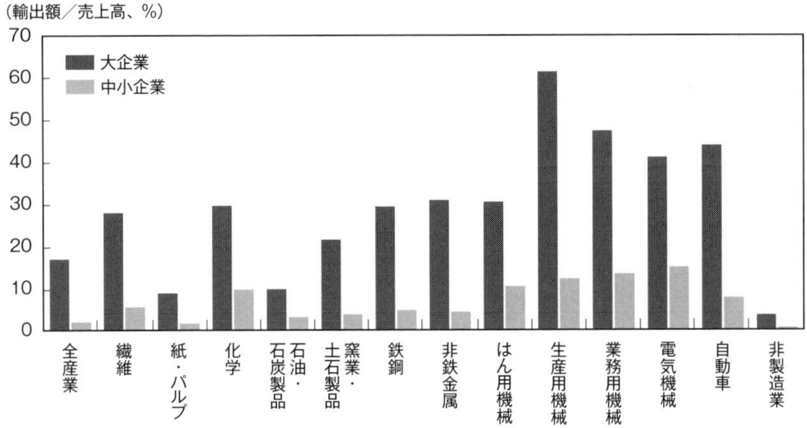

（注）2022年度9月調査
（資料）日本銀行「全国企業短期経済観測調査」より、みずほリサーチ＆テクノロジーズ作成

と総じて中小企業より高い。特に、大企業の加工業種（自動車や生産用機械等）では売り上げの40～60％を輸出が占めており、円安のメリットは数少ないグローバル企業に集中していると言えるだろう。

中小企業でも比較的享受しやすい円安メリットには、インバウンド需要の増加がある。しかし、コロナ禍では厳しい入国規制により円安になってもインバウンド需要の増加につながりにくい状態が続き、中小企業への追い風になっていない。このように、短期的には円安のメリットが一部企業に偏在する一方、中小企業をはじめとする多くの企業がコスト増というデメリットを負担せざるを得なかったことが、いわゆる「悪い円安」論に注目が集まった背景にあると考えられる。

求められる中小企業の収益性向上

こうした資源高や円安による企業のコスト増加は、これまでも指摘されてきた中小企業の低い収益性という課題に改めて光を当てるきっかけになった。日銀短観の売上高経常利益率計画をみると、大企業の利益率が2000年代以降改善したのに対し、中小企業の利益率はほとんど高まっていない（図2）。

日本の中小企業の利益率が低い一因と考えられるのが、過当競争である。日本では、税制や金融面等で中小企業を対象に多くの優遇策が実施されているが、これらの優遇策を受けるために個々の企業で「規模を拡大しない」「必要以上の成長を目指さない」インセンティブが生じているとみられる。また、小規模な企業に対する政策的支援が非効率な企業を温存し、産業の新陳代謝を妨げている可能性もある。その結果、小規模な企業が乱立すると、競争が激化してマージンが縮小し、利益率が慢性的に抑制されてしまう。こうした環境では、資源高で仕入価格が急上昇しても販売価格に十分転嫁できないといった事態も起こり得るだろう。

また、弊社が過去に行った研究では、日本の中小企業は米国に比べて収益性が低い水準に集中していることが確認された。これは、日本の中小企業が製品・サービスの差別化に不可欠なイノベーション等のリスクを伴う行動を十分に行えていない傾向があることを示している。また、日本では企業の開業率が主要先進国に比べ低いだけでなく、開業した企業の収益性も低いという課題がある。差別化された製品・サービスを活かして高い収益の実現を狙う企業の創業が活発でないとみられ、スタートアップ企業への政策的な投資といった対応が求められる。

コロナ禍で経営環境が悪化したにもかかわらず、2020年5月に開始された実質無利子・無担保融資により、2020～21年における中小企業の倒産件数はコロナ禍前を下回った。これは、コロナ禍という突発的なショックから企業を救済するのに役立った一方、先に述べたように、本来退出すべきだった企業を延命した側面もあることに注意が必要だ。今後は、こうした対症療法的な対策に終始することなく、中小企業の活力を引き出し、収益性向上の後押しをする環境整備を進めることが必要であると考えられる。

2023年は海外経済の減速が収益の下押し要因

2023年は、インフレ率上昇を受けて金融引き締めが行われている欧米を中心に、海外経済の減速が見込まれる。こうした海外経済減速の悪影響は一部のグローバル企業だけでなく、国内のサプライチェーンを通じて幅広い企業へ波及し、収益の下押し要因になるだろう。

図2　中小企業の利益率は大企業に比べ低い

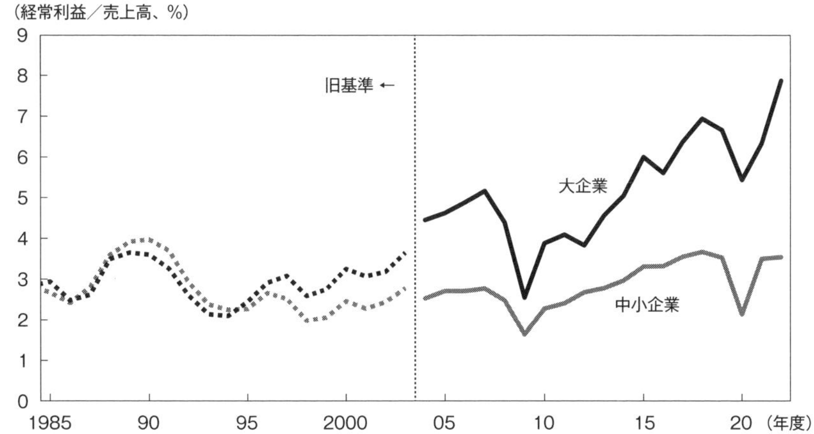

（注）9月調査、全産業ベース
（資料）日本銀行「全国企業短期経済観測調査」より、みずほリサーチ＆テクノロジーズ作成

他方で、海外経済の減速が資源価格の下落要因になる点は、国内企業のコスト面では朗報である。実際、欧米の景気後退懸念が強まったことで、2022年6月をピークに原油価格は低下に転じた。

とはいえ、原油価格をはじめとする資源価格が2022年前半の急上昇から反転下落するといっても、コロナ禍前の2010年代後半に比べれば高い水準で下げ止まるリスクがある。ロシアのウクライナ侵攻に伴う原油・天然ガスの供給不安の再燃といった地政学的要因が資源価格の下落を阻む可能性があるほか、脱炭素化を見据えた化石燃料産業への投資縮小（ダイベストメント）が構造的な資源高要因になりうるためだ。

資源高による国内経済への悪影響を緩和する対策として、短期的には、2022年の「原油価格・物価高騰等総合緊急対策」に盛り込まれたエネルギー価格の激変緩和事業（燃料油元売りへの補助金支給を通じた小売価格の高騰抑制）などが有効だろう。ただ、こうした対策は緊急避難的なものであり、いつまでも続けるわけにはいかない。中長期的には、脱炭素化の着実な進展により化石燃料への依存度を低下させ、輸入コストの上昇に対する日本経済の頑健性を高めることが求められよう。

3 設備投資

企業の投資意欲は回復も、下押しリスク大

2022年度の設備投資計画は高い伸び

新型コロナウイルス感染拡大（以下、コロナ禍）以降、約2年間にわたって民間企業の設備投資は低迷が続いていたが、2022年度は本格的に持ち直すとみられる。2022年6月に実施された日本政策投資銀行の調査では、2022年度の名目設備投資（大企業ベース）は、前年度比＋26.8％と大幅な増加が計画されている（図1）。計画値から実績値への修正率が例年どおりだった場合、同＋16.3％で着地する見込みだ。2020～21年度の減少傾向から一転して、一気に2019年度の水準まで回復することになる。2023年度は同▲1.2％と小幅に減少する計画だが、同調査では翌年度計画が例年大幅なマイナスになる傾向があることを踏まえると、企業の設備投資姿勢は強まっていると言える。

2022年度の投資計画が高い伸びになった背景には、次の3つの要因がある。第一に、更新投資の積み上がりである。図1のとおり、2020～21年度の設備投資は大きく落ち込んでおり、コロナ禍で緊急性の低い更新投資が相当程度先送りされていたとみられる。

第二に、設備過剰感の解消である。コロナ禍の初期には経済活動の停滞を受け設備が十分に稼働しておらず、企業の設備過剰感を表す日銀短観の生産・営業用設備判断DIは2020年前半に急上昇した。しかし、2021年後半からは同DIが再び感染拡大前の水準に戻り、過剰感はほぼ解消されている。

第三に、企業収益の回復である。2022年4～6月期の経常利益（法人企業統計、全規模ベース）は、製造業が2019年比151％、非製造業が同107％と、製造業を中心に回復している。非製造業についても、2022年度に入ってサー

図1　2022年度設備投資計画は大幅増

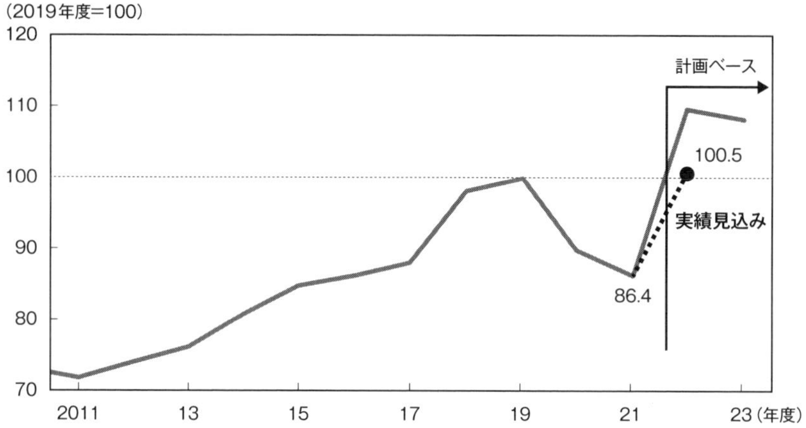

（注）大企業ベース、実績見込みは2015～19年度の修正率平均値を用いて計算
（資料）日本政策投資銀行「全国設備投資計画調査」より、みずほリサーチ&テクノロジーズ作成

ビス消費の復調を受け回復が進んだ。したがって、設備投資計画の強さは概ね収益に見合ったものであると言えるだろう。このように、企業の設備投資再開に向けた環境が整いつつあることが、投資計画を後押ししたようだ。

供給制約や海外経済の減速が設備投資の回復を阻害する要因に

しかし、計画が強気でも、それがすべて実現するとは限らない。半導体不足をはじめとする供給制約や、米国を中心とした海外経済の減速により、設備投資が計画対比で下振れるリスクがあるためだ。

まず、供給制約についてみてみよう。企業が機械などの生産設備を増やそうとしても、そうした設備機器の供給が滞っている場合、投資計画の実現可能性は低下する。コロナ禍では世界的なサプライチェーンの混乱が発生し、2021年後半から部材の供給制約が深刻化した。特に、サプライチェーンが複雑化している産業では生産のボトルネックが生じやすい。たとえば、自動車は2021年半ばから続く車載向け半導体の不足に加え、東南アジアや中国で感染が拡大した際にも部品の供給難で大幅な減産を強いられた。

同様に、設備機器でも供給制約が発生していると考えられる。設備用機械を生産する機械製造業の受注額と販売額の推移をみると、受注額がコロナ禍前を大きく上回る水準まで増加した一方、販売額は2021年後半以降ほぼ横ばいにとどまり、受注の急増に対して生産や販売が追い付いていない（図2）。こうした供給制約の先行きを見る上で、生産のボトルネックである部材不足が焦点になろう。特に、コネクタ等の電子部品が調達難の状況にあるようだ。物流の正常化等に伴って供給制約は徐々に緩和すると見込まれるが、需要増に対して生産の伸び悩みが続く可能性を視野に入れておくべきだろう。

また、海外経済の減速感が強まり、企業の投資意欲が下押しされるリスクにも注意が必要だ。インフレ率の上昇を受けて急速な金融引き締めが行われている米国は、2023年に景気後退に陥る可能性がある。欧州も、エネルギー価格の上昇や金融引き締めにより、景気後退局面入りの懸念が高まっている。すると、日本でも海外取引が多い大企業を中心に業績が下押しされ、設備投資が現状の計画対比で下振れる要因になるだろう。

2022年度は設備投資が回復するも一時的。業種間の温度差にも要注意

以上を踏まえ、弊社では2022年度の設備投資が名目ベースで前年度比＋4％台後半の伸びになると予想している。過去20年間の平均的な伸び率（＋0％台前半）に比べて高いことは間違いないが、先述した設備投資調査の計画からは大きく下振れるだろう。

加えて、2022年度の設備投資の回復が長い目で見て持続する可能性は低い。内閣府「企業行動に関するアンケート調査」で上場企業の日本経済に対する期待成長率をみると、「今後3年間」、「今後5年間」ともに＋1％程度とコロナ禍前から大きく変わっていない。したがって、設備投資もコロナ禍からの回復局面が終われば以前の巡航速度に戻ると考えるのが自然だろう。

また、設備投資が全体として持ち直したとしても、すべての業種で投資姿勢が強まっているわけではない点には注意が必要だ。たとえば、半導体不足により業績が下押しされている自動車は、機械設備や建築物といった有形固定資産の投資計画が抑制的な水準にとどまっている。また、宿泊・飲食サービス等は財務基盤の弱い中小企業が多く、収益が回復しても設備投資にはま

図2　2021年後半から機械の受注額と販売額が大きく乖離

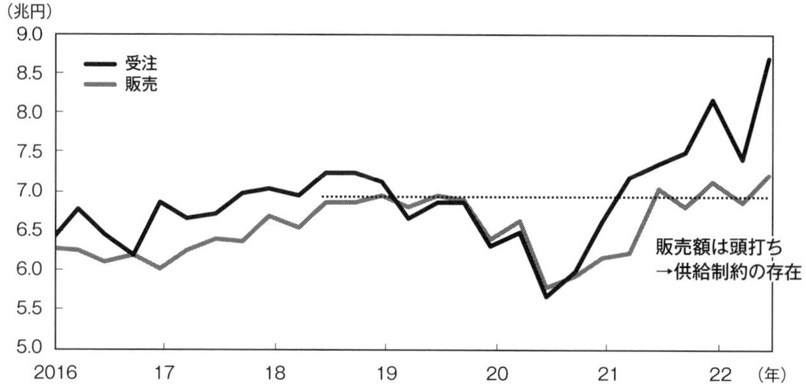

(注) 船舶除く総計、四半期ベース
(資料) 内閣府「機械受注統計調査報告」より、みずほリサーチ&テクノロジーズ作成

だ前向きではないようだ。

期待がかかるグリーン投資への政策支援

では、企業の投資行動が今後積極化する可能性はあるか。そのきっかけの一つになり得るのが、グリーン投資である。欧州を皮切りに世界各国が温室効果ガスの削減目標を宣言したことで、グローバル企業を中心に排出削減への取り組みが進みつつあり、関連する投資への注目が集まっている。

こうしたグリーン投資への支援について、欧州では2021～27年のEU中期予算の内、最低3割（65兆円超）をグリーン関連に投じることが計画されている。また、米国では50兆円規模の気候変動対策を盛り込んだ法案が成立した。日本では脱炭素関連の研究開発を支援する「グリーンイノベーション基金」が実施されているが、予算規模は10年間で2兆円程度にとどまる。日本で必要な財政支援は20兆円規模とも言われており、さらなる拡充が必要だ。政府は2022年の「新しい資本主義のグランドデザイン及び実行計画」で「今後10年間に官民協調で150兆円規模のグリーン・トランスフォーメーション（GX）投資を実現」するとし、その資金調達手段として「GX経済移行債（仮称）」を発行する計画であり、支援拡大の早期実現が期待される。

4 雇用・所得

景気改善に伴い緩やかに増加

感染症の影響が和らぐなかで、雇用情勢は持ち直し

新型コロナの感染が拡大するなかで、非正規雇用が大きく減少した（図1)。感染拡大防止策に伴う外出自粛の動きが、飲食・宿泊や生活関連サービス・娯楽といった、非正規雇用者の割合が高い対面型サービス業を中心にマイナスの影響を与えたためである。非正規雇用は2022年に入って持ち直しの動きに転じたものの、感染拡大後の減少分を取り戻すにはいたっていない。

一方、正規雇用については、感染拡大前からの増加基調が続いた。正規雇用が増加する背景として、正規雇用の人手不足感が強いことが挙げられる。厚生労働省「労働経済動向調査」の労働形態別の過不足判断DIをみると、近年は正社員の方がパートよりも不足感が強い。生産年齢人口（15～64歳）が減少するなかで、中長期的な人手不足が意識され、待遇改善による従業員確保の動きが続いたようだ。特に、これまで非正規での採用が多かった女性に対して、正規採用を増やすことで優秀な人材を確保しようとしていた様子である。

人手不足以外の要因としては、非正規の処遇改善にかかわる政策的支援が挙げられる。たとえば、有期労働契約が通算5年を超えて更新された場合、契約者の申し込みによって、期間の定めのない労働契約に転換できるルール（無期転換ルール）が2013年に導入され、2018年から申し込みが発生している。また、2019年から就職氷河期世代を対象とする支援プログラムが実施され、就職から職場定着までの一貫した支援や教育訓練プログラムの提供等が行われてきた。総務省「労働力調査」により、非正規雇用者数を理由別にみると、2013年から2021年にかけて「自分の都合の良い時間に働きたい」や

図1　正規雇用者数と非正規雇用者数

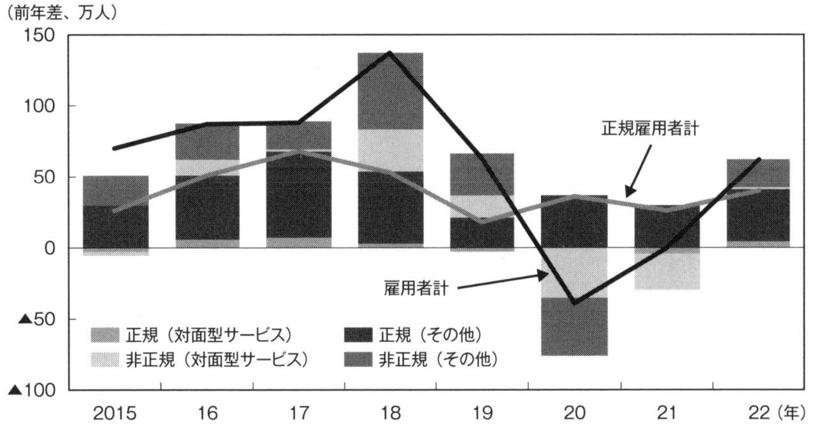

（注）2022年は1～6月平均値
（資料）総務省「労働力調査」より、みずほリサーチ＆テクノロジーズ作成

「家事・育児・介護と両立しやすい」と回答する者が増加する一方で、「正規の職員・従業員の仕事がないから」と回答する者（不本意非正規）が減少した。

こうした不本意非正規の減少基調は感染拡大以降も途切れていない。不本意非正規でなくなることは、正規に転換するか、非正規の状態であってもその理由が「正規の職員・従業員の仕事がないから」でなくなるかのいずれかである。この間、正規雇用が増加し続けたことを踏まえると、不本意非正規から正規への転換が進んできていると言えるだろう。

賃金は緩やかに増加

2022年の春季労使交渉（春闘）賃上げ率は2.07％（連合最終集計：定期昇給と基本給を底上げするベースアップを合わせたもの）と2019年以来の2％台となり、ベースアップを実施した企業も増加した。2022年の春闘には、政財界による賃上げの後押しがあった。働く人への分配機能の強化を強調する岸田首相は業績の回復した企業に対して賃上げへの協力を要請し、財界もそれを容認する姿勢を示していた。連合も、2022年の春季生活闘争方針として「人への投資」を起点とする「未来づくり春闘」のスローガンを掲げ、中長期的な格差是正や分配構造の転換につながる賃金上昇を目指すとしていた。

さらに、中長期的な人手不足等を背景に、賃上げに対する企業の意識の高まりもうかがえる。コロナ禍後に向け経済活動が正常化するにつれて労働需要が高まる一方、労働供給は女性や高齢者等の一層の労働参加を促しても補えないほどに減少すると見込まれている。国立社会保障・人口問題研究所によれば、生産年齢人口は2065年にかけて4割弱減少する見通しだ。

とはいえ、春闘賃上げ率の大部分は定期昇給によるものであり、基本給の引き上げに当たるベースアップ率は0.63%にとどまる。2022年の消費者物価上昇率は食料品やエネルギー価格の値上げを受けて2%台まで上昇したため、賃金上昇率は実質的なマイナスである。

なぜ、物価が高まるなかで賃金は上がりにくいのか。労働政策研究・研修機構はその一因として、継続雇用や定年延長等によるシニア層労働者の増加で、企業の賃金カーブがフラット化したことを指摘している。日本企業は歴史的に、若年層の賃金を生産性よりも低くする一方で、ミドル・シニア層の賃金を生産性よりも高く設定する「後払い賃金」制度を採用してきた。しかし、「高年齢者雇用安定法」等の高齢者の活躍の場を増やす施策によって、シニア層の人件費負担が高まり、企業が後払い賃金を抑制しているため、賃金が上がりにくいのだという。

このように賃金が抑制されても、現職にとどまった方が有利であることから、ミドル・シニア層は低い賃金を受け入れる傾向がある（日本では、同一職種の他企業に転職するより、同一企業で働き続けた方が、賃金上昇効果が大きいことを示す研究がある）。長年にわたり一つの企業の中で通じるスキルを蓄積してきたミドル・シニア層が、転職を選択しにくい状況がうかがえる。

省力化で企業の労働需要は変化

以上のように、2022年の雇用・賃金は一部で弱めの動きもみられるが、全体として緩やかに回復してきた。また、コロナ禍において、ICTやロボット導入による業務の自動化・省力化への取り組みが増えており、こうした構造的な変化が労働市場に及ぼす影響は今後注視が必要な論点だと考える。

業務の自動化・省力化は中長期的な人手不足への対応としてコロナ前から

あったものだが、感染防止のための非接触需要が加わったことで、その動きが加速している。日銀短観の2022年度設備投資計画をみると、業務の自動化・省力化効果が大きいとみられるソフトウェア投資額が、製造業、非製造業ともにコロナ前の2019年度を上回る水準となっている。労働集約的である小売や宿泊・飲食等でもソフトウェア投資を積み増す動きがあり、たとえばオンライン注文・予約システムや自動発注システム等の導入が広がっている。なおソフトウェア以外でも、小売ではセルフレジ・セミセルフレジの普及が進み、飲食では配膳ロボットの導入等が増えている模様である。

自動化や省力化による労働需要への影響については、需要を減退させるのか、もしくは補完しながら逆に増加させるのか、現在でも解釈が定まっているわけではない。しかし、企業の採用基準や求める人材像が徐々に変化している可能性はあるだろう。企業は量的な意味での人材確保だけでなく、技術に代替されないスキルを持った人材を確保したい意向を強めていると推察される。なお、経済産業省の未来人材会議はデジタル化や脱炭素化を受けた能力の需要変化を検討し、現在は「注意深さ・ミスがないこと」「責任感・まじめさ」「信頼感・誠実さ」が重視されるが、将来は「問題発見力」「的確な予測」「革新性」が一層求められるようになると述べている。

2023年の雇用・賃金は緩やかな増加傾向が継続

2023年の雇用情勢を展望すると、景気改善が続くなか、正規雇用の増加傾向が継続するほか、対面型サービス業等の非正規雇用の持ち直しがより明確になる見通しである。インバウンドの受入拡大も押し上げ要因となるだろう。ただし、人口動態の側面から労働供給が増えにくくなるほか、企業の業務自動化・省力化の動きから、雇用者数の増加ペースは緩やかであるとみられる。

賃金については、労働需給の引き締まりや人への投資強化の流れを背景に、緩やかに上昇するとみられる。他方、賃金が本格的に上昇するためには、汎用性があり、多くの企業で通用する「ポータブルスキル」を高めるような人的資本投資の増加や、年齢だけではなく成果や能力を重視した給与・処遇体系への転換により、賃金上昇を伴う前向きな転職を実現できるように支援することが重要であると考える。

5 個人消費

感染不安の後退で消費水準は正常化へ

2022年の個人消費は引き続きコロナ禍が下押し

2022年の個人消費は、2021年に引き続き、新型コロナウイルス感染再拡大の影響を大きく受けることとなった。2022年初には、急速に拡大したオミクロン株（感染第6波）の影響でまん延防止等重点措置が発令され、1～3月期の個人消費は鈍い動きとなった（図1）。その後の4～6月期は第6波が収束するなかで回復の動きを見せたが、7月以降の感染第7波の影響で個人消費は再び足踏みを余儀なくされた。

個人消費のなかでも項目ごとに回復の動きは異なる。内閣府のGDPベースで各消費項目の動きを見てみると、サービス消費は低い水準での推移が続いている。感染懸念の残存を背景として消費行動の慎重姿勢が継続したことで、対人接触型サービス（旅行や外食・宿泊・娯楽のように外出や対面を伴うようなサービス消費）の回復が遅れたことが要因だ。2022年に入ってからのサービス消費のなかで、特に回復の遅れが目立つのは、旅行関連消費である。2022年のゴールデンウィークは、2019年以来3年ぶりに経済制限がないなかで迎えることとなった。しかし、ゴールデンウィーク期間における交通大手の利用実績をコロナ前対比で見ると、新幹線・航空ともに6～8割程度の水準にとどまり、本格回復には至らなかった。

続いて、財消費の動向を見てみよう。耐久財消費は、巣ごもり需要が徐々に剥落するなかで、上海ロックダウンによるサプライチェーンの混乱や半導体等の部品不足といった供給制約が自動車等の生産を下押しし、弱い動きが続いた。さらに、資源高・円安に伴う原材料価格の高騰を背景とした物価高も耐久財等の購買意欲を押し下げる要因となった。対照的に非耐久財につい

図1　個人消費の実績と見通し

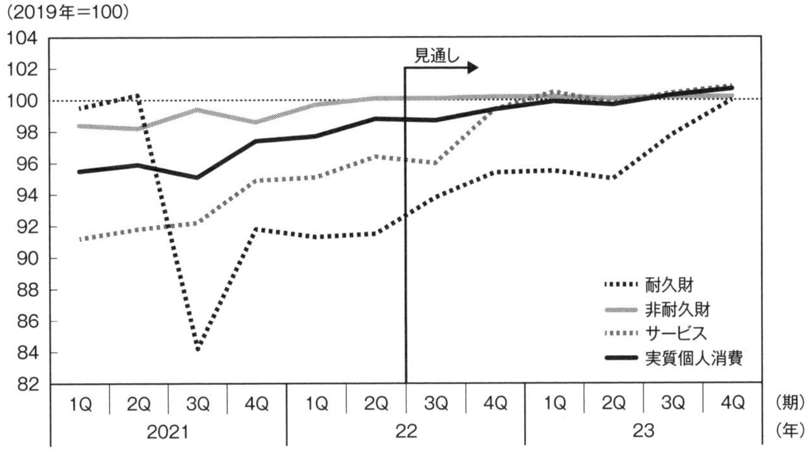

（資料）内閣府「四半期別GDP速報」より、みずほリサーチ&テクノロジーズ作成

ては、相対的に高い水準での推移が続いている。非耐久財には食料等の生活必需品が含まれるため、感染や物価の動向には比較的影響を大きく受けにくかった（消費の削減余地が小さかった）とみられる。

2022年の消費を全体としてみれば、物価が高まるなかでも回復基調を維持した。この背景には超過貯蓄の存在があっただろう。コロナ前の2019年対比でみた家計貯蓄の増分を超過貯蓄として定義すると、2021年10～12月期の時点で約50兆円を超えていた。家計の年収階級別にみると超過貯蓄は中・高所得層に偏在しており、低所得層は物価高により消費を切り詰めざるを得なかった一方で、中・高所得層は積みあがった貯蓄が物価高騰の影響を和らげたことで、消費を下支えしたと考えられる。

消費行動のデジタル化で旅行等の「リベンジ消費」は期待薄

2023年にはコロナの感染不安が後退していくことが予想され、サービス消費を中心に個人消費の回復傾向は継続するとみてよいだろう。ただし、長引くコロナ禍を通じて、人々の消費行動は外出を伴う「リアル」消費から自宅で完結する「デジタル」消費へのシフトが起こりつつあり、こういった消費行動の変容は2023年以降も継続する可能性が高い。

まず、総務省の家計消費状況調査で、コロナ前からコロナ禍にかけて、人々の消費行動がどう変化したかを見てみよう。2022年前半（1～6月）のインターネットを利用した支出額（名目値、二人以上世帯）は2019年の同期対比で4割程度の増加となった。詳細を確認すると、在宅時間が増えたことを受けて電子書籍やデジタルコンテンツ（ダウンロード音楽・映像・ソフトやアプリ）のほか、インターネットを通じて購入する食料への支出額が2倍以上増加している。

一方で、この間、家計調査では教養娯楽サービス（旅行や娯楽施設入場料等）や外食といったリアル消費の支出額が2割程度減少している。

電子書籍やスマホアプリ、オンラインショッピングをはじめとしたデジタル消費が増加した代わりにリアル消費が減少した結果、2022年1～6月期の消費支出全体を2019年同期対比で見ると2％程度の減少となった。

2023年にコロナの感染懸念が後退していくなかで、人々の消費行動はリアル消費へと回帰していくだろう。しかし、消費行動が完全にコロナ前に戻るというわけではなさそうだ。内閣府が2022年6月に実施したアンケート調査によれば、感染拡大を機に変化した行動の継続希望について、オンラインショッピングは回答者の8割程度が、飲食店のテイクアウトやデリバリーサービスの利用は6割程度が「感染症収束後は増やしたい・継続したい」と回答している。大半の消費者がコロナ禍でオンライン消費の利便性を実感し、コロナ後も継続させたいと感じているようだ。

旅行や外食、帰省といった外出を伴うような行動について、コロナ後の頻度に係る意向を質問した調査が図2である。旅行について、日帰り・宿泊ともに「感染拡大前よりも頻度を多く実施したい」とする割合は4割弱にとどまり、「感染拡大前と同程度」、もしくは「減らしたい」とした層が6割を上回っている。また、外食やリアルでのイベント参加については7割以上が「感染拡大前と同程度」、もしくは「減らしたい」と回答している。

こうした状況を踏まえると、コロナ禍における消費行動のデジタル化はコロナ後も継続すると考えられ、感染懸念が後退したとしても、旅行等のサービス消費がコロナ前を大きく上回るような「リベンジ消費」は期待しにくい。

図2　コロナ後にリアル消費を増やしたい層は少数派

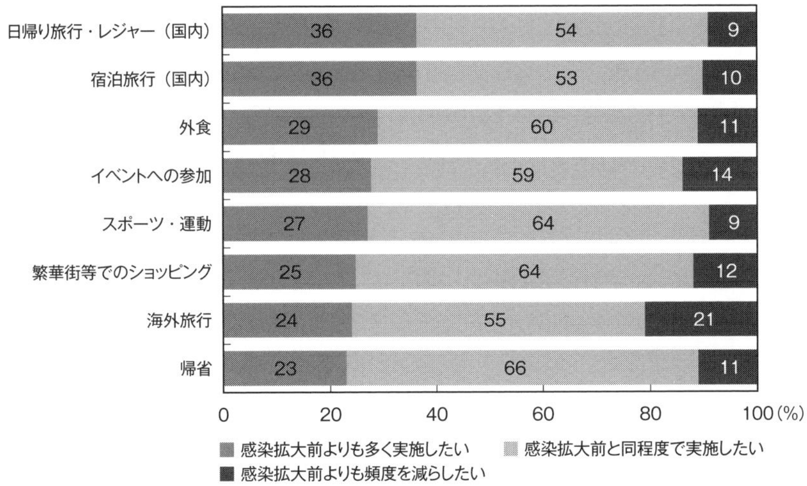

（注）調査期間は2022年6月1日～6月9日
（資料）内閣府「第5回 新型コロナウイルス感染症の影響下における生活意識・行動の変化に関する調査」より、みずほリサーチ＆テクノロジーズ作成

企業からみれば、こうした消費行動の変化に対応したビジネスモデルの転換（VRで旅行や美術館鑑賞を体験できるようなサービスの提供等）が求められることになるだろう。

個人消費は2023年後半にコロナ前水準まで回復する見通し

総じてみれば、2023年の個人消費は感染不安の後退を背景に増加が見込まれる。ただし、前述したように「リベンジ消費」は期待しにくいことに加え、消費の原資となる賃金についても前節で触れたとおり緩やかな回復となる見込みだ。さらに、2023年前半には米国経済の景気後退入りが見込まれる等、海外経済減速の影響が製造業の収益を悪化させることで、家計の所得環境にも下押し圧力が加わるとみられる。

こうした状況を背景に、個人消費は図1で示したとおり、緩やかな回復にとどまるとみられる。個人消費の水準がコロナ前（2019年平均）並みに戻るのは2023年後半になるだろう。

6 住宅

住宅市場は持ち直し。住宅価格と金利動向が懸念材料

2022年の住宅市場は底堅い動きに

コロナ禍で空室率上昇が進んだオフィス賃貸市場と異なり、住宅市場は底堅い動きが続いた。2021年の新設住宅着工戸数は85.6万戸（前年比＋5.0％）と、消費増税や新型コロナウイルス感染拡大の影響で落ち込んだ2020年（同▲9.9％）からの反動もあり、5年ぶりに前年比プラスに転じた（図1）。

2022年に入った後も、1～6月の着工戸数が年率86.3万戸（季節調整値、前年同期比＋1.5％）と、振れを伴いながらもほぼ横ばい圏を維持した。ただ、着工の利用関係別内訳をみると方向感は大きく異なっている。

持家は2022年1～6月に前年同期比▲7.8％（年率換算25.9万戸）と減少した。これは、2021年夏場の感染拡大に伴う緊急事態宣言の発令により、住宅展示場の来場者数が減少したことが一因と考えられる。住宅展示場に来訪してから着工に至るまでにはタイムラグがあり、客足の変化による着工への影響が遅れて現れるためだ。

一方、貸家は前年同期比＋7.3％（年率換算34.3万戸）と増加した。コロナ禍で金融緩和が進んだことで、低金利下でも相対的に高い利回りが見込める不動産投資に関心が集まり、貸家需要が強まった。その他では、分譲住宅が前年同期比＋4.9％（年率換算25.6万戸）と増加した。分譲マンションが2021年の同時期より大規模な案件が多く、着工戸数の増加につながった。

貸家着工が2023年の住宅市場を下支えする見通し

2023年の住宅市場を展望する上で、重要なのが貸家着工の動向だ。貸家は住宅着工戸数に占める割合が最も高く（2021年度実績では着工戸数全体の

図1　持家は減少も、貸家・分譲住宅が下支え

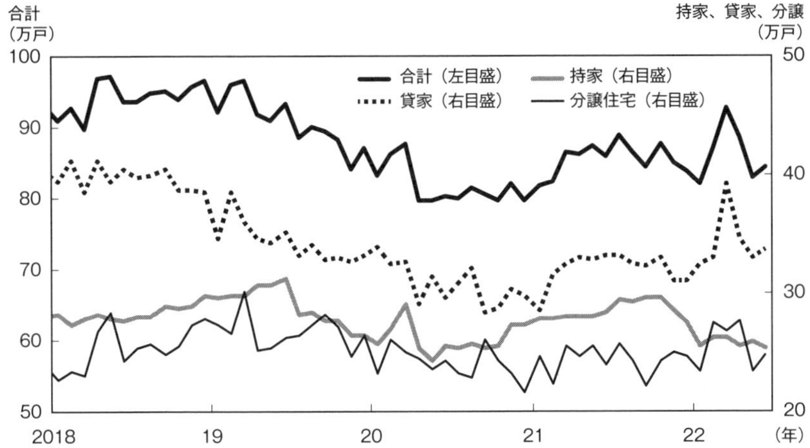

（資料）国土交通省「建築着工統計調査」より、みずほリサーチ＆テクノロジーズ作成

38％）、住宅着工全体への影響が大きい。

貸家の着工動向を見る上で注目される指標が、「個人による貸家業」向けの設備資金新規貸出額である（図2）。個人の貸家着工は大半が融資を伴うため、貸出額は着工戸数に先行する傾向がある。貸出額は、金融緩和を背景に高い伸びが続いていたが、2016年頃より、不動産融資増加に伴う適切なリスク管理について、日銀が指摘し始めると、各行の融資態度は厳格化した。2017年4〜6月期に前年比減少に転じると、それ以降はマイナス圏での推移が続いた。しかし、コロナ禍に入ると、低金利下で利回りを追求する動きを背景に個人投資家の関心が高まり、2021年4〜6月期の貸出額は4年ぶりに増加に転じた。2022年4〜6月期においても、貸出額は前年比＋9.9％と5四半期連続で前年比プラス圏を維持している。先行き不透明な環境が続くなか、地方銀行を中心とした金融機関にとっても個人向けアパートローンは有力な貸出先で、2023年も投資需要の底堅さは維持される見込みだ。

このように、貸家の供給面では、投資需要の堅調さが着工増に寄与していた。これに対し、需要面での裏付けとなっているのが、コロナ禍においても継続する都市部での底堅い入居需要だ。総務省「住民基本台帳人口移動報告」により、東京都の年齢層別の人口移動状況をコロナ前の2019年と2021年で比較すると、地方から東京への進学、新卒採用者の移動動向には大きな変化は見られず、単身者向け賃貸住宅の空室率は大幅な悪化には至らなかった。また、テレワークに対応した間取りや共用ワーキングスペースを持つ賃貸等、在宅勤務の広がりに伴う新規需要も下支えとなっている。

コロナ禍が終息に向かうに連れて、インバウンド向けの長期滞在型賃貸住宅の需要増加も期待できるだろう。2022年6月には新型コロナの水際対策が大幅に緩和され、1日あたりの入国者数の上限が2万人に引き上げられた。コロナ前の2019年の訪日旅行者数は1日あたり平均9万人であったことを考えると、2023年にかけてさらにインバウンド需要の回復が見込まれる。インバウンド需要が正常化に向かうことで、長期滞在型賃貸住宅への需要が高まり、着工戸数の下支えとなるだろう。

住宅価格や住宅ローン金利の上昇が懸念材料

以上のとおり、2023年の住宅着工は貸家を中心に底堅い動きとなる見込みだ。ただし、住宅需要の先行き下押し懸念材料として、住宅価格や住宅ローン金利の動向には注意が必要である。

住宅価格の上昇は、世界的な資源価格の高まりを受けたものだ。木材市場の需給ひっ迫を受けた木材価格高騰（ウッドショック）に、コンテナ不足等による輸送コストの上昇が加わって、2021年には日本の輸入木材価格が大きく上昇した。2022年には木材価格上昇が一服したものの、円安進展や、世界経済再開に伴う鉄鋼需要拡大を受けて、鉄筋コンクリートに使う異形棒鋼の取引価格が過去最高値を更新する等建材高が続いた。建設工事に係る物価動向を示す建設工事費デフレーター（2015年度基準、住宅総合）の推移を見ると、2022年1～5月平均は前年同期比＋9.7％（暫定値）と、高い伸びを記録した。

また、住宅価格に加えて、金融面の動きにも注意が必要だ。日銀が「量的・質的金融緩和」を導入して以降、住宅ローンの歴史的な低金利環境が続き、住宅需要を下支えしてきた。しかし、国外の金利上昇圧力を受け、日本においても金利上昇の火種が燻り始めている。住宅金融支援機構の固定金利

図2　低金利環境でアパートローン融資は拡大

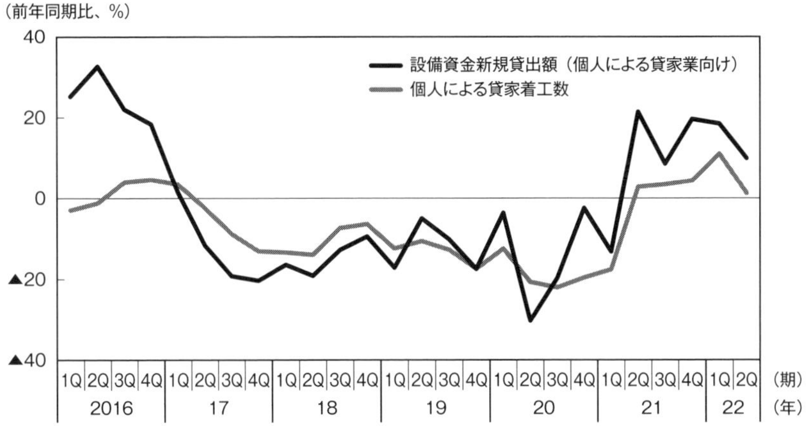

（資料）日本銀行「貸出先別貸出金」、国土交通省「建築着工統計調査」より、みずほリサーチ＆テクノロジーズ作成

型ローンである「フラット35」の借入金利の最低値は、8月に1.53％に達し、2016年1月（1.54％）以来の高い金利となった。同機構のアンケート調査によると、2022年4月調査では、住宅ローン利用者の73.9％が変動金利型ローンを選択しており、2007年の調査開始以降で、変動型を選択する利用者の割合が最も高くなった。背景には、長期金利上昇圧力を受けて、固定型と変動型の金利差が大きくなったことが影響している。変動金利への影響が大きい日銀の金融政策が変更される可能性は低く、変動金利には依然として大きな動きはないものの、金利の動向には注意を払う必要があるだろう。住宅ローン金利の上昇で、家計の住宅購買力が低下すれば、住宅販売の鈍化につながる懸念がある。

日本のGDPに占める住宅投資のウェイトは3％程度と大きくないが、木材や鉄骨等の建材、キッチンやトイレといった設備をはじめ、幅広い産業の生産物が建設に使用されている。加えて、住宅購入には家具や家電等の耐久消費財の購入が付随することからも、経済の他部門への波及効果は大きい。住宅価格高騰や住宅ローン金利上昇による買い控えが深刻になれば、景気を冷やしかねず、コロナ禍からの日本経済回復の障害となるおそれがある。

7 財政政策

中期的な支出増をコミットも財源は不透明

物価高に対する財政対応はあくまで「止血策」。中期的な対策が必要

2022年は資源高・円安を受けた物価高による家計への影響が政治問題化し、参議院選挙の大きな争点となった。悩ましいのは、資源高や円安（あるいはその背景にあるウクライナ情勢や米国の利上げ等）そのものを政府・日本銀行が直接コントロールするのが難しいという点だ。たとえば円安是正の為替介入については、国際金融市場の安定化等の大義名分が必要であり、国内の物価高是正といった理由では米国等の理解を得られるとは考えにくく、協調介入のハードルは高い。資源高・円安そのものを制御できない以上は、その副作用である物価高への対応が政策対応の中心とならざるを得ない。

こうしたなか、政府は予備費の活用や補正予算の編成により、燃料油価格の激変緩和措置（元売り事業者に対する補助金支給)、低所得の子育て世帯を対象とした現金給付等を実施した。ガソリンや食料品等購入頻度の高い品目の値上げが目立つのが今回の物価上昇の特徴であり、低所得者は支出に占める日用品のウェイトが大きいことから、特に打撃が大きい。予備費を活用して低所得者に的を絞った生活支援等を迅速に実施しようとした政府の対応には一定の合理性があると言えるだろう。

ただし、これらの措置はあくまでも「止血策」である。物価高対策が重要だからと言って事業者への補助金支給や低所得者への現金給付をいつまでも続けるというわけにはいかない。今回のウクライナ情勢の緊迫化を受けた資源価格上昇に伴う打撃により、資源輸入国としての日本の脆弱性を我々は再認識させられた。グリーン化を着実に進めて化石燃料への依存度を低下させ

図1　排出削減目標達成には10～20兆円の財政負担が必要

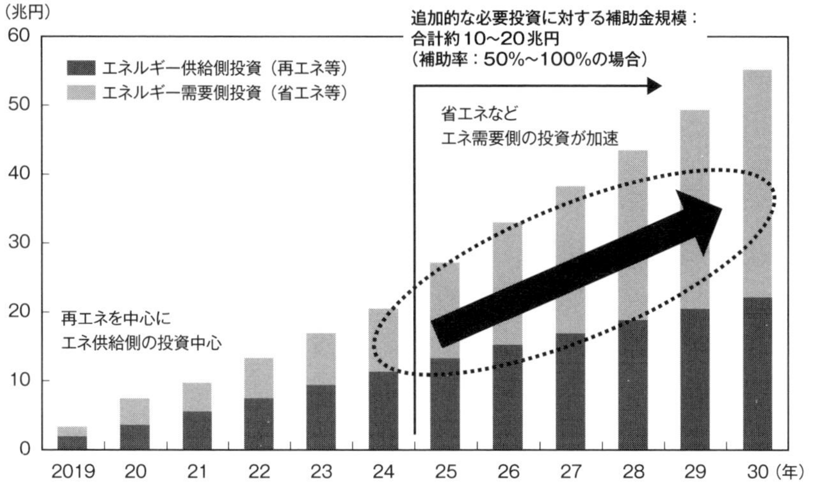

（注）2030年の排出削減目標達成に必要な省エネ量に対してIEAのカーボンプライス見通し（Announced Pledge シナリオ）を元に試算
（資料）IEAなどより、みずほリサーチ＆テクノロジーズ作成

る等、輸入コスト上昇に対する経済の頑健性を高めることが必要だ。

骨太方針2022ではグリーン投資に向けて公的支出拡大をコミット

グリーン化の推進に向けては追加的な必要投資のための中小企業の負担を軽減する必要があり、排出削減目標（温室効果ガス▲46％）に向けて2030年までに累計で10～20兆円程度の財政負担が必要になるとみずほリサーチ＆テクノロジーズは試算している（図1）。

政府は、骨太の方針2022において、グリーン・トランスフォーメーション（GX）について「今後10年間に150兆円超の投資を実現する」「官民の投資を先導するために十分な規模の政府資金を、将来の財源の裏付けをもった「GX経済移行債（仮称）」により先行して調達し、複数年度にわたり予見可能な形で、速やかに投資支援に回していくことと一体で検討していく」ことを掲げた。グリーン化の推進に向けて公的支出を拡大させる方針を示した点は妥当だろう。次回エネルギー基本計画改定（2024～25年）の過程では、排出削減目標の高さと課題を改めて確認することになると考えられる。その段階で、欧州事例等を参考にして補助金の拡充やカーボンプライシングの導入等が実施される可能性が高く、グリーン化投資は2024～25年以降に加速する可能性が高いとみている。

中期的な支出増をコミットする一方、財源の議論は深まらず

骨太の方針2022では、グリーン投資以外にも、人への投資や安全保障等の分野で中期的に公的支出を増加させることをコミットしており、それに合わせて「事業の性質に応じた基金の活用、年度を跨いだ予算執行が可能となる柔軟かつ適切な対応等により、単年度主義の弊害是正に取り組む」との方針が示されている。

これらの重点分野における公的支出の拡大には一定の合理性がある一方、裏付けとなる財源についての議論が深まっていないのは懸念材料だ。たとえばグリーン化の促進においては、先述したように中小企業等に対する補助金による支援が必要であると考えられるが、いずれはカーボンプライシングの導入等により負担を企業に求めねばならなくなるだろう。安全保障についても防衛力を抜本的に強化する方針が掲げられているが、NATO加盟国がGDP比2％以上の国防費を目指していることに触れる等大幅増を示唆したとも受け取れる内容となっており、年間で数兆円単位の追加的な財源が必要になる可能性がある。

骨太の方針2022ではこうした中期的な支出増に対する財源についての具体的な言及が見られず、財政健全化に向けた道筋が見えにくくなっている点は懸念材料だ。財政健全化目標についても、国と地方の基礎的財政収支（プライマリーバランス）の2025年度の黒字化目標については「堅持」との表現が消えて「これまでの目標に取り組む」との文言にトーンダウンした形になっている。グリーン化促進等で中期的な歳出増加が見込まれること、税収が上振れてもそれに合わせて歳出増加圧力が強まる可能性が高いことに加え、財政健全化目標について「状況に応じ必要な検証を行う」と記述されている点を踏まえると、財政健全化目標は先送りされる可能性が高いのではないか。

図2　2023年度以降に金利が1%上昇した場合、国債費は急速に増加

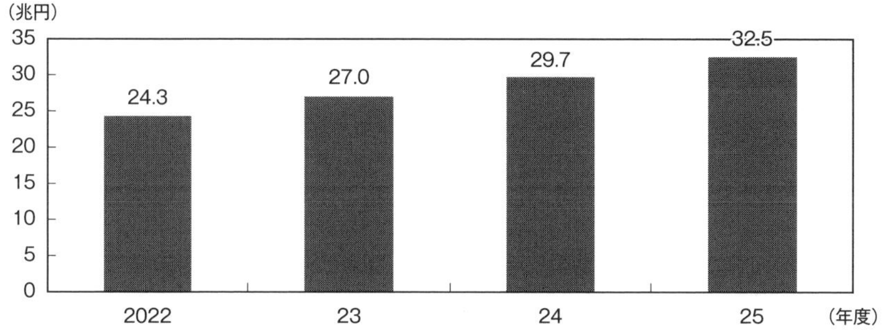

（資料）財務省「令和4年度予算の後年度歳出・歳入への影響試算」（2022年1月）より、みずほリサーチ&テクノロジーズ作成

金利上昇リスクは深刻化。財政健全化に向けた取り組みが不可欠

確かに、コロナ禍の長期化やロシアによるウクライナ侵攻といった逆風を受け、日本経済が未だ回復途上にある状況を踏まえれば、財政による下支えが短期的には必要だ。しかし、それは財政赤字・政府債務をいくらでも増やしてよいということを意味しない。

現在のように債務残高が膨張した状況で長期金利が上昇した場合、国債費は急速なペースで増加してしまう。仮に2023年度以降に金利が1%上昇した場合、国債費は2025年度には30兆円台に達する（図2）。財政の金利上昇リスクは確実に高まっており、予算の必要性の精査と効果検証（アウトカムに基づくEBPM）の取り組みを強化した上で、中長期的な財政健全化への道筋を国民に対して示す必要がある。コロナ対応等のため積みあがった政府債務については、東日本大震災後の復興特別税等も参考にしながら長期的な償還スキームを検討することが考えられるだろう。

仮に特定年度の財政目標にこだわらない財政運営を行う場合でも、状況に応じた財政赤字の縮小方針をルール化しておくこと等を検討するべきだろう。たとえば、金利に上昇の兆しが出てきた場合には遅滞なく財政赤字縮小ペースを速めていくといったような財政ルールを（その際に実施する具体的な増税・歳出削減の内容等も含めて）あらかじめ決めておくことも一案だ。

8 輸出

2023年は財輸出が伸び悩むもインバウンド回復が下支え

日本の財輸出は早期に回復したが、供給制約がボトルネックに

日本の財輸出は、世界的なロックダウン（都市封鎖）の解除を受け2020年後半以降に急回復した。経済活動の制限で蓄積していた自動車の繰り延べ需要や、コロナ禍を契機に急増したオンライン関連需要等が財輸出を大きく押し上げた格好である。個人消費や設備投資が伸び悩むなか、実質財輸出は早くも2020年10～12月期にコロナ禍前の2019年平均と同水準まで回復した。2022年4～6月期時点で実質財輸出は2019年平均を8％上回っており、実質GDP全体では未だ2019年の水準に達していないことを踏まえると、財輸出の回復が際立っている。

しかし、欧米を中心とするコロナ禍からの経済回復や、急速に進んだ円安の影響を考慮すると、日本の財輸出は本来さらに回復が進んでも不思議ではなかった。図1は、日本の米国向け実質輸出と、米国の実質輸入総額の推移を示したものだ。2012～19年頃までは両者の動きが概ね一致していたが、コロナ禍からの回復局面では、米国の輸入総額がコロナ禍前のトレンドを上回る水準まで急増した一方、日本の米国向け輸出は相対的に緩やかな伸びにとどまっている。

このように日米間の輸出入が乖離した要因の一つと考えられるのが、特定の半導体をはじめとする部材の供給制約だ。日本ではコロナ禍の影響でさまざまな部材が不足した。特に、車載向けや産業機器向け等の半導体不足が長引いており、自動車や電気・情報通信機械を中心に生産のボトルネックになっている。半導体メーカーは、コロナ禍当初に需要が激減した車載向け等の製品から、需要が急増したPCやタブレット等デジタル製品向けに生産ライ

図1　コロナ禍からの回復局面では、日本の対米輸出は米国の輸入に比べ伸びが緩やか

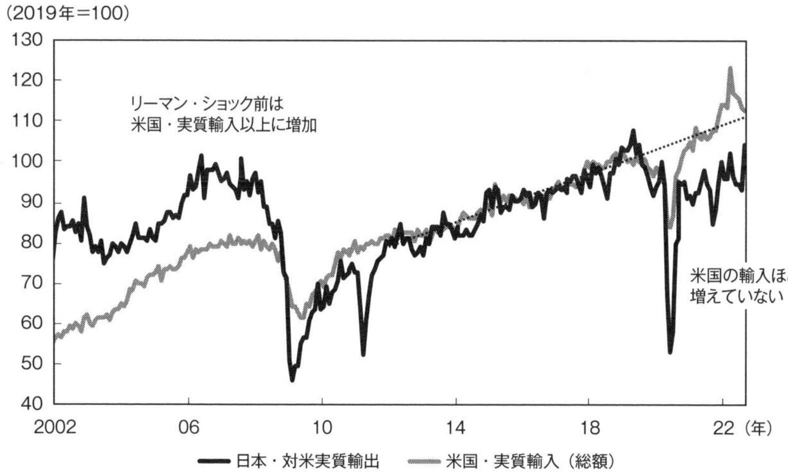

（注）点線は2012～2018年の米輸入トレンド
（資料）日本銀行「実質輸出入の動向」、米センサス局より、みずほリサーチ&テクノロジーズ作成

ンを転換した。半導体生産の性質上、変更した生産ラインを元に戻すには時間がかかる。これにより、デジタル製品向けの電子部品・デバイスや資本財は輸出を伸ばした一方、自動車等では受注があってもそれに見合った生産ができず、米国の旺盛な財需要の恩恵を十分に享受することができなかった。

欧米経済の減速と半導体市場の変調が2023年の財輸出を下押し

2023年は、インフレ率の上昇と金融政策の引き締めにより欧米経済が景気後退に陥る可能性がある。アジア圏は2023年にかけてコロナ禍からの回復に向かうものの、欧米経済の低迷を補うには力不足とみられ、世界経済は減速するだろう。

海外経済の減速による日本への影響は、一般的に、製造業とりわけ海外取引の多い自動車や生産用機械などの加工業種に対する下押しが大きい。例えば、リーマン・ショック後の2009年は、鉱工業生産全体のマイナス幅（前年比▲21.8%）に対し、自動車生産が同▲29.4%と大きく減少した。このとき、日本の米国向け輸出はリーマン・ショック前に盛り上がっていた分、米国の輸入以上に大きく落ち込んだ（図1）。

一方、2023年の海外経済減速による日本の輸出への影響は、リーマン・ショック時とはやや異なると考えられる。上述したように、自動車や電気・情報通信機械等は部材不足により生産が制約され、米国の需要回復の恩恵を十分受けていなかった。その分、2023年に予想される需要冷え込みでは日本の輸出への悪影響が過去の海外経済減速局面ほど大きくならない可能性がある。

むしろ2023年の輸出下振れリスクが大きいのは、半導体をはじめとする情報関連財である。本来、半導体市場は循環的に好不況を繰り返す性質があり、ピーク～ボトム～ピークの一周期が約3～4年とされている。これまでの推移を振り返ると、2020年はコロナ禍でPCやスマホ向け半導体需要が大きく増加し、2021年まで拡大局面が続いたが、2021年秋頃にはデータ保存用の半導体であるメモリ（DRAM）の価格が下落基調に転じた。また、巣籠もり需要の一巡や中国市場の減速を受けてPCやスマホといった最終製品の需要が鈍化し、半導体の需給が緩んだ。そして2022年4～6月期には日本でもメモリ在庫が3カ月連続で増加し、在庫調整圧力が強まり始めた。このように、半導体市場の循環は2022年に入り好況期が終盤に差し掛かっており、2022年末～2023年にかけて調整局面が訪れると予想される。

2023年はインバウンド回復によるサービス輸出が下支え

このように財輸出は2023年に伸び悩むと見込まれる一方、サービス輸出には回復の余地がある。コロナ禍が始まって以来、世界の観光需要は長らく低迷していたが、2022年に入ってからは海外の観光地を中心に持ち直しが進んでいる。例えば、観光依存度の高い南欧諸国では、外国人宿泊者数（みずほリサーチ＆テクノロジーズによる季節調整値）が2022年半ば時点で既にコロナ禍前の2019年とほぼ同水準まで回復した。

一方、日本では2022年8月時点の訪日外客数が月間約17万人と、2019年のピーク水準にほど遠い（図2）。入国者数の上限撤廃や個人旅行客の受け入れといった水際対策の緩和に伴い、インバウンドの回復ペースは加速する見込みだが、インバウンド需要がコロナ禍前の水準に近づくためには、2019年

図2　インバウンドは2022年10〜12月期から緩やかな回復へ

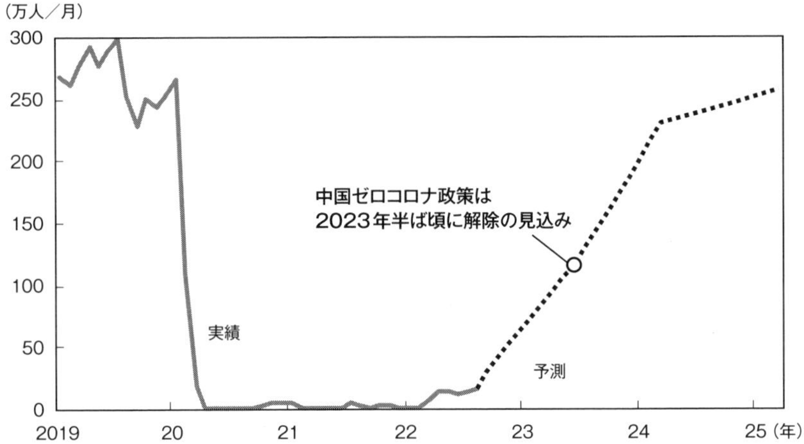

（資料）日本政府観光局（JNTO）「訪日外客数・出国日本人数」より、みずほリサーチ＆テクノロジーズ作成

に訪日客の4割近くを占めた中国（香港含む）の動向がカギをにぎる。

中国では、いわゆる「ゼロコロナ政策」によって、海外旅行を目的とする中国人の出国が制限されている。ゼロコロナ政策の解除時期は、中国の政治イベントや国産ワクチンの開発状況を踏まえると2023年半ば頃と予想され、中国人観光客が本格的に持ち直すのは2023年後半以降になるだろう（図2）。こうしたインバウンド需要の回復が日本経済に及ぼす影響は大きく、2023年度のGDPを＋0.9％程度押し上げる要因になると試算される。2023年度の実質GDP成長率は前年度比＋1％程度になるとみられ、インバウンドがGDPの伸びの大半を占める計算だ。

もっとも、インバウンドの回復には副作用もある。とりわけ、旅行客が観光地の受入キャパシティを超過する「オーバーツーリズム」の問題に再び注目が集まるだろう。コロナ禍前は、主要な観光地に旅行客が殺到し、住民生活や自然環境、景観等に対する悪影響が問題視されていた。コロナ禍を契機にさまざまな構造変化が起きている今こそ、観光需要の取り込み目標を量から質に転換することも含め、インバウンドと地域社会の持続的な関係を改めて考える必要があるだろう。

9 物価

CPI前年比+2%超えは持続性を欠き、再び0%台に鈍化へ

資源高・円安を受けてコアCPI前年比は+2%台に

2022年は、ロシアによるウクライナ侵攻や歴史的な円安進展が影響し、石油等の資源を中心に幅広い品目で輸入物価が上昇した。これを受けて、4月の国内企業物価指数は前年比+9.8%と、第2次オイルショックの影響があった1980年12月（同+10.4%）以来の大幅な伸びとなった。

商品市況高騰・円安の影響は消費者物価にも波及し、生鮮食品を除く消費者物価指数（以下、コアCPI）は4月に前年比+2.1%に達した。消費増税の影響があった期間を除くと約13年半ぶりの2%超えであり、その後もコアCPI前年比は伸び幅を拡大させた。

項目別の物価の動きを見るために、コアCPIの前年比変動率を寄与度分解したグラフが図1である。図1を見ると、2021年後半以降から2022年にかけて「エネルギー」と「生鮮食品を除く食料」の寄与が徐々に大きくなっていることが確認できる。また、エネルギーや食料品の伸びと比べると小さいものの、「その他」の寄与度も上昇傾向にある。「その他」を構成する品目のうち、サービス物価は2022年6月前年比▲0.3%と依然として低調である一方で、耐久消費財は前年比+3.1%と上昇しており、「その他」の伸びをけん引した。これは、供給制約による半導体不足や、円安の進行でルームエアコン等の家具・家電を中心に値上げの動きがあったことが影響している。

なお、2022年の3月から4月にかけては、コアCPI前年比伸び率が+0.8%から+2.1%と大幅に上昇した。これは、2021年春に実施された携帯電話通信料金値下げによる下押し影響の大部分（▲1.1%ポイント分の下押し影響）が剥落したことによるものだ。

図1 **コアCPIは2%台に到達。食料とエネルギーの伸びが主因**

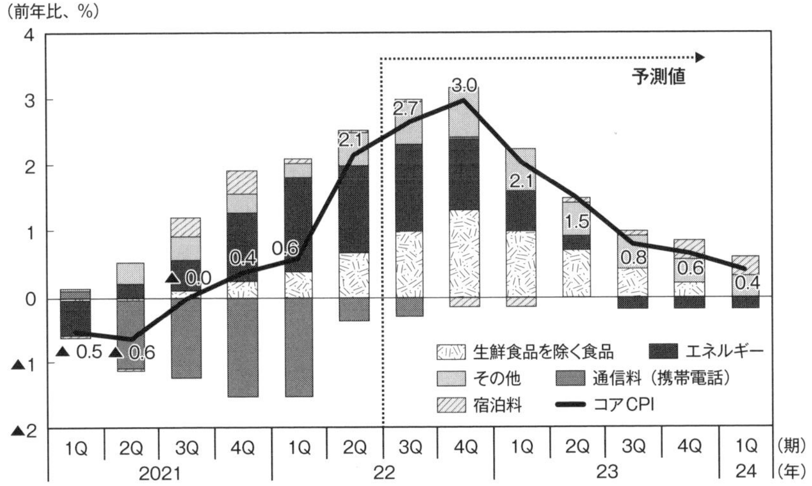

（資料）総務省「消費者物価指数」より、みずほリサーチ＆テクノロジーズ作成

物価上昇により、企業・家計の負担感が増すなか、政府も2022年4月に家計や資源高の影響が大きい業種の中小事業者の支援を目的とした『コロナ禍における「原油価格・物価高騰等総合緊急対策」』を策定するなどの対応を行った。政府による対策の中で、特にCPIに大きな影響を与えたのが、燃料油価格の急騰を抑制することを目的とした「燃料油価格激変緩和補助金」だ。資源エネルギー庁資料によると、2022年4～6月平均でガソリン、灯油価格ともに32.2円程度の価格抑制効果があったことが示されており、コアCPIを0.6%ポイント程度押し下げる効果があったと考えられる。

日用品価格上昇で消費増税時並みに高まった体感物価

CPIは購入頻度別の系列の値も公表されており、家計が「頻繁に購入する品目（年間購入頻度が15回以上の品目。ガソリンや食パン等）」は6月前年比＋4.1%と、コアCPIの伸び率（6月：＋2.2%）と比べると、高い伸びを示している。購入頻度の高い生活に身近な日用品の値上げが続き、家計が実際に感じる物価上昇、言わば「体感物価」の伸びはCPI以上に高まった。

「体感物価」の動向を示す指標として、日本銀行の「生活意識に関するアンケート調査」が有用だ。アンケート調査内の「1年前に比べ現在の物価は何％程度変化したと思うか」との問いに対する家計の回答（中央値）を仮に「体感物価」とすると、2022年6月調査では、前年比＋5.0％と高い伸びとなった（図2）。過去の局面では、消費増税があった2014年や生鮮食品・エネルギーの価格が高騰した2018年においても、同程度の前年比＋5.0％まで上昇していることがわかる。

図2のとおり、体感物価はCPI・名目賃金を大きく上回る伸びで推移している。体感物価は、物価動向に対する家計の主観を直接的に表しており、消費マインドに与える影響は大きいだろう。一般的に、家計は自らの労働で得られる名目賃金と物価動向を加味して、消費水準を決定すると考えられている。ただし、図2のとおり、「物価動向」と言っても、体感物価とCPIの動きには大きな乖離がある。CPIの動向をエコノミストのように把握している家計は少ないと思われ、一般的な家庭は、体感物価で賃金を評価し、消費水準を決定していると考えるのが自然だ。日用品の価格上昇を受けて、2022年の体感物価は消費増税時並みの高い水準で推移しており、CPIの伸び以上に家計の消費を抑制した。

2023年にはCPI前年比は再び0％台に鈍化する見通し

こうした日用品を中心とした物価上昇は政治問題化し、2022年の参議院選挙の大きな争点となった。一方、2％を超える物価上昇は一時的なものである可能性が高い。2022年の物価上昇は資源高や円安進展を受けた輸入コスト上昇が主要因であり、こうした賃金の伸びを伴わないコストプッシュ型の物価上昇は持続性がなく、日本銀行が目指す2％物価目標とも異なる。

日本では、バブル崩壊後の経済停滞でデフレが常態化したことで消費者の間で「物価は上昇しないものである」という社会的価値観が形成されており、企業はそうした消費者心理を踏まえて値上げに踏み切れない状況が続いている。特にBtoC関連企業は、仕入コスト上昇を価格に転嫁することが難しい状況にある。日銀「短観」によると、BtoC関連業種である「小売」、「宿泊・飲食サービス」、「対個人サービス」の交易条件（販売価格判断DI－仕入価

図2　体感物価はCPI・賃金の伸びを大きく上回る

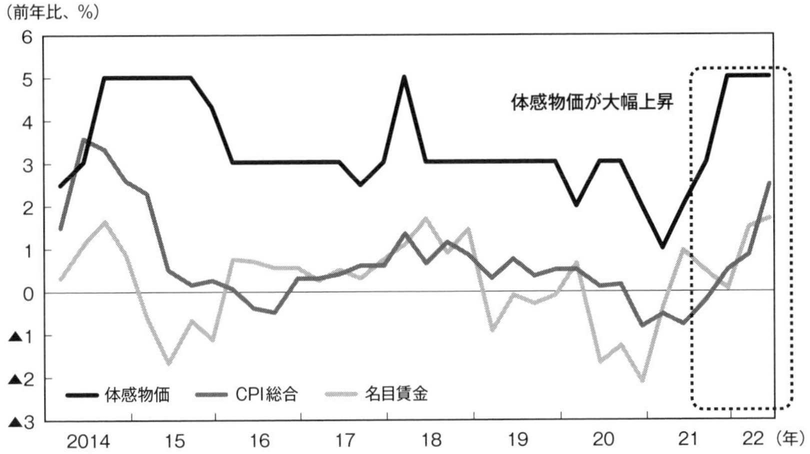

（資料）日本銀行「生活意識に関するアンケート調査」、総務省「消費者物価指数」、厚生労働省「毎月勤労統計調査」より、みずほリサーチ&テクノロジーズ作成

格判断DI）は大幅マイナス圏で推移している。賃金が伸び悩むなかで家計の購買力が高まらないことを受け、仕入価格上昇に対して十分に販売価格への転嫁ができていない様子がうかがえる。

円安や資源高による輸入コスト増大を受けて、物価が一時的に変動することはあるにしろ、こうした構造は簡単には変わらないだろう。実際、コアCPIが2022年4月以降は前年比＋2%台の伸びとなった一方で、米国でコア消費者物価指数とされている「食料（酒類を除く）およびエネルギーを除く総合指数」は前年比＋0%台と伸び悩んでおり、物価の「基調」は依然として低迷が続いていると言える。

先行きは、海外経済の減速に伴いグローバルな財需要が一服するにつれ、原油等の商品価格が低下することで、CPIの伸び率は徐々に鈍化することが見込まれる。図1で示したとおり、コアCPI前年比は2022年中にピークに達し、その後は伸び幅が縮小していく見込みだ。2023年後半にはコアCPI前年比は再び0%台まで鈍化することが見込まれ、「なぜ日本は物価が上がらないのか」という議論が再び浮上するだろう。

10 人的資本投資

公的な「人への投資」の拡充が日本経済復活のカギ

働き手を対象にした「人への投資」拡充の機運が強まる

岸田政権が2022年6月に策定した「経済財政運営と改革の基本方針 2022」(以下、「骨太の方針2022」)では、「新しい資本主義に向けた重点投資分野」の冒頭に、「人への投資と分配」が位置付けられた。

骨太の方針では、2010年代後半にも人的資本投資が取り上げられたが、内容をみると、学校教育や幼児教育の優先度が高い傾向があった。一方、骨太の方針2022では、労働者を対象にしたスキルアップに主眼が置かれているのが特徴だ。公的な職業訓練を拡充して生産性の向上と成長産業への労働移動を促すとともに、幅広い働き手のスキルアップを支援し稼得能力を高めることで、成長と分配の好循環を実現しようとする姿勢が鮮明になっていると言えよう。

その実現に向けて、骨太の方針2022には「2024年度までの3年間に、4,000億円規模の予算を投入する施策パッケージを講じる」ことが盛り込まれた。実際、2022年4月から企業に対して訓練経費等の一部を助成する制度が強化されるなど、人への投資拡充に向けた動きが進み始めている。

日本の人的資本投資は官民ともに少ない

このように政府が働き手への投資に本腰を入れ始めた背景には、日本の人的資本投資が他の先進国に比べ極めて少ないことに対する危機感がある。図1は、主要先進国の民間企業が実施した人的資本投資を国内総生産(GDP)対比でみたものだ。英国や米国が1%台後半に達している一方、日本は0.3%と、先進国中で最下位水準である。

図1　日本企業の人的資本投資は他の先進国に比べ少ない

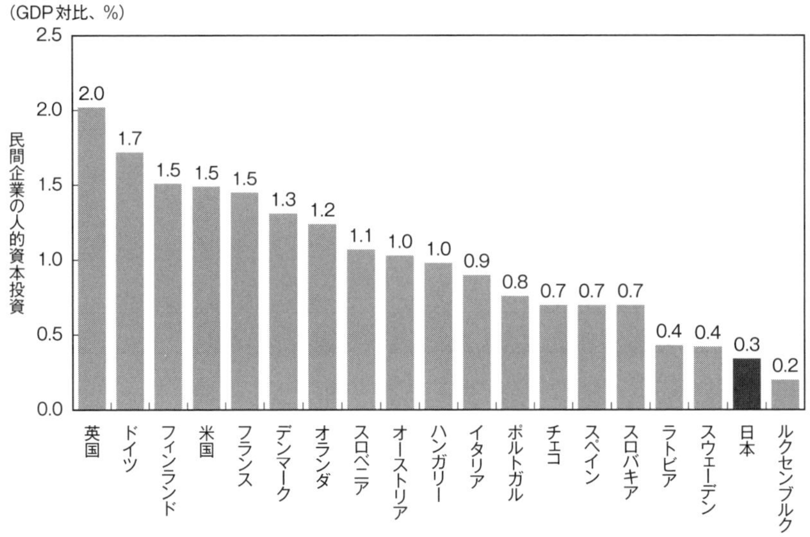

（注）2010～2018年（米国のみ2010～2017年）の平均値。民間企業部門（除く住宅・公務）
（資料）経済産業研究所・一橋大学「JIP 2021データベース」、INTAN-Invest、EUKLEMS-INTANProdより、みずほリサーチ&テクノロジーズ作成

この結果について、転職が盛んな英米の企業が多額の人的資本投資をしていることに疑問をもつ読者もいるかもしれない。離職率が高ければ、人的資本投資をしてもその多くが無駄になるため、企業が従業員に投資しにくくなるとされるからだ。にもかかわらず、英米企業で人への投資が多い背景には、雇用流動性が高く企業と労働者が互いに選び選ばれる英米社会において、企業の人的資本投資の充実度が優秀な労働者を引き付ける条件になっていることがあると考えられる。

また、日本では民間企業だけでなく公的な人的資本投資も少ない。公的な職業訓練支出額（GDP対比）を主要先進国で比較すると、デンマーク、フィンランド、オーストリアでは0.5％前後と手厚い公的支援が行われている一方、日本は0.1％未満にとどまっている。このように、官民ともに少ない人的資本投資が、日本の生産性上昇を阻み、低成長が続く一因になった可能性がある。

成長率を欧米並みに引き上げるには、年間４兆円弱の人的資本投資が必要

では、日本はどこまで人的資本投資を増やすべきなのか。日本の潜在成長率（経済の供給側からみたトレンド的な成長率。2015～19年の平均：0.7％）を欧米主要国（米国、英国、ドイツ、フランス）の平均値（1.6％）へ引き上げるために必要な人的資本投資額を試算したところ、年間3.9兆円との結果が得られた（図2）。現状（2018年：1.6兆円）対比の追加額は2.3兆円と、大幅な増額が必要な計算だ。

追加額2.3兆円をすべて民間企業が負担することは難しいため、試算では追加額を従業者のシェアで大企業分（0.9兆円）と中小企業分（1.4兆円）に分け、うち大企業では30％、中小企業では70％の公的支援（税額控除や助成金など）が行われると仮定した。すると、大企業分のうち0.3兆円、中小企業分のうち1兆円、合計約1.3兆円が公的資金で追加すべき人的資本投資額になる。骨太の方針2022に盛り込まれた「人への投資パッケージ」の規模は年換算で約1,300億円であり、1.3兆円の10分の1に過ぎない。人的資本投資を推進する政府の姿勢は大いに評価できるものの、規模という点ではさらなる拡充が求められると言えそうだ。

職業訓練政策の改革に向けて

とはいえ、ただ闇雲に公的支援の規模を増やせばよいというわけではない。日本では、働き手への公的な人的資本投資は主に雇用保険制度をベースにする職業訓練政策を通じて行われる。同政策の課題を踏まえた上で、効果的に資金を投じていく必要があるだろう。

日本の職業訓練政策は、働き手個人に対して直接的な訓練機会を提供する公的職業訓練（ハロートレーニング）、個人の訓練受講費用の一部を支給する教育訓練給付、企業に対して訓練経費や訓練期間中の賃金の一部を助成する人材開発支援助成金、の主に3つからなる。これらの施策が抱えている課題は、働き手や企業に対する事前の情報提供が乏しいこと、労働市場ニーズに即した講座の設定が不足していること、個人を対象にする施策の多くが対

図2　成長率を欧米並みに引き上げるには年間４兆円弱の人的資本投資が必要

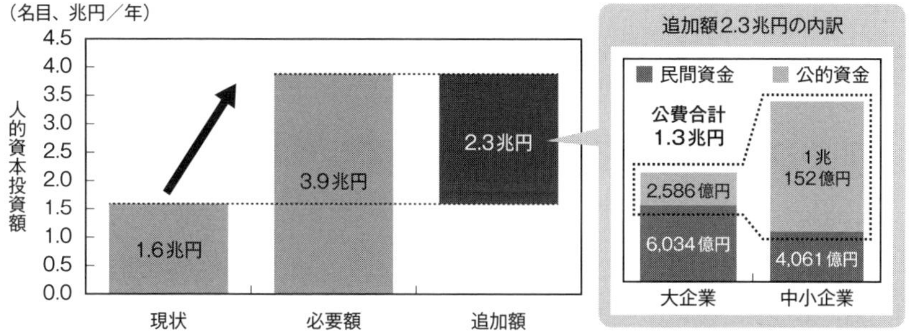

（注）試算上、人的資本投資の減耗率は先行研究をもとに40%としたが、設定する減耗率の水準により必要額が大きく変わり得るため、結果は幅をもってみる必要がある
（資料）経済産業研究所・一橋大学「JIP 2021データベース」、総務省「平成28年経済センサス活動調査」より、みずほリサーチ＆テクノロジーズ作成

象を雇用保険の受給資格を持つ人に限定しており、真に職業訓練を必要としている人が支援の網から漏れている可能性があることだ。

こうした課題を解決するには、ワンストップの情報提供や手続きの全面的なオンライン化で利用可能性を高めたり、キャリアコンサルティングの活用を促進したりして、施策の柔軟性や情報提供体制を改善する必要があるだろう。また、社会的ニーズが高いデジタル分野の講座拡充や、訓練と就労支援の一体化による施策効果の向上も重要だ。そして最終的には、「職業訓練は働き手皆の権利である」との認識のもと、雇用保険の受給資格を条件にしないユニバーサルな職業訓練制度を構築し、意欲があれば誰でもスキルアップに取り組める環境を実現すべきだろう。

労働者のスキルアップを通じて生産性を引き上げ、低迷している日本の成長率を向上させるために、また、幅広い層の労働者のスキルアップを支援することで稼得能力を高め、所得格差の拡大を抑制するために、公的な人的資本投資の拡充が急務であることは、もはや誰の目にも明らかである。「新しい資本主義」の枠組みのもと、政府が人への投資をさらに強力に推進していくことが必要だ。そのためには、公的な人的資本投資を担う職業訓練政策について、現状と課題を踏まえた抜本的な改革を着実に進めていくことが求められるだろう。

COLUMN

気になる経済統計データ（その1）

実質値上げ

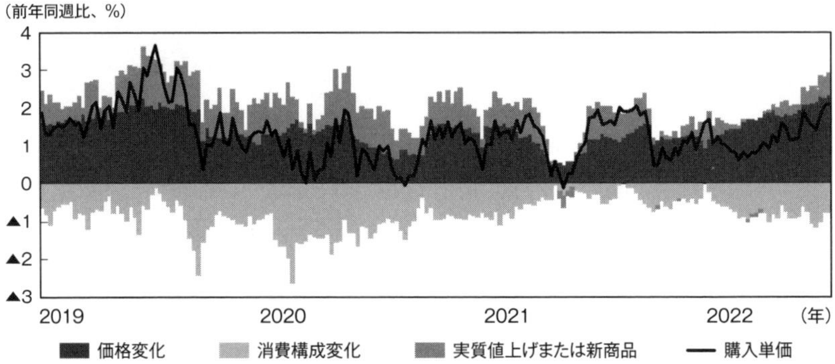

（資料）SRI一橋大学単価指数より、みずほリサーチ＆テクノロジーズ作成

◆上図は消費者が購入した商品の容量当たり単価の前年同週比を示している。購入単価の増減は3つの要素で説明される。「価格変化」は単純に既存製品の値上げまたは値下げを反映している。「消費構成変化」は消費者が単価の高い商品の消費割合を増やせばプラス、単価の安い商品の消費割合を増やせばマイナスとなる。「実質値上げまたは新商品」は、既存製品の容量の変化を伴う価格改定、または既存製品と新製品の単価の違いを反映しており、従来より単価が高くなればプラスである。

◆図表中の2019～2021年の購入単価が上昇した時期では、「実質値上げまたは新商品」が「価格変化」の半分～同程度の寄与を示しており、販売価格を変えずに量を減らしたり、付加価値の高い新商品を投入したりすることで単価を引き上げようとしていた様子が見られる。

◆一方で、2022年は購入単価の上昇の9割程度が「価格変化」によるものである。実質値上げ等の工夫を凝らす余地が乏しくなり、直接的に商品価格を上げざるを得ないほどインフレ圧力が強まっていることが示唆される。

第2章 海外経済がわかる10の論点

11 米国経済Ⅰ
強まる景気後退の影、進む米中デカップリング

物価高と金融引き締めで強まる米景気後退の影

米国経済は、1980年代初頭以来という、およそ40年ぶりの物価高に見舞われている。危機感を強めるFRB（米連邦準備制度理事会）が急激な引き締めを行った結果、米国経済には景気後退の影がちらつくようになっている。

ミシガン大学の調査によれば、2008年のリーマン・ショック後から立ち直った米消費者にとって「家計が苦しい」第一の理由は「収入減」だったが、2021年秋以降は「物価高」に変わった。物価高に対する米国民の不満はその後も強まる一方となり、バイデン政権・議会は、その名も「インフレ抑制法」という法律を成立させた。

インフレ抑制法は10年間で2,640億ドルの財政緊縮措置（ペンシルバニア大の試算)、つまり需要を冷やす政策だが、インフレ率を目に見えて低下させるには緊縮規模が小さい。実際には物価高対策とは名ばかりで、狙いは、脱炭素に向けた企業へのインセンティブ付与や、最低税率の導入による巨大企業の税逃れ対策等にある。

一方、予想以上のペースで進む物価高に危機感を強めたFRBは、2022年前半から利上げと資産縮小に着手することになった。通常は1回で0.25％の利上げを行うFRBが、0.5％、0.75％と利上げ幅を大きく拡大させ、引き締めスタンスを急激に強めたことで、株価は急落、金融コンディションは急速に引き締まるようになった。

その結果、米国経済には、物価高に加えて景気後退の影がちらつくようになっている。2022年1～3月期と4～6月期の実質GDP成長率が2期連続してマイナスになったというニュースは、その代表例である。

図1　米景気判断で重視される経済指標と「3つのD」

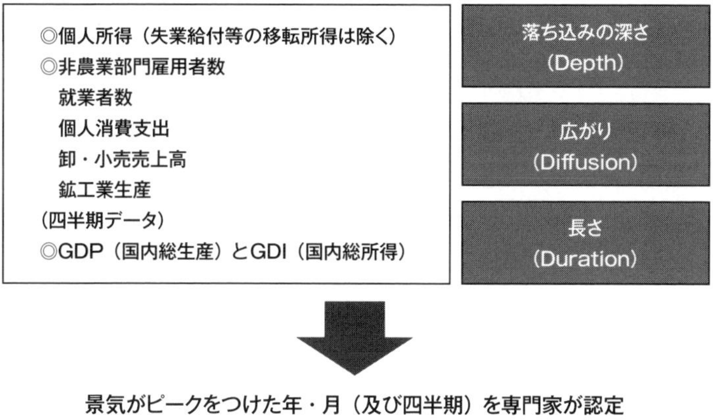

（注）◎は特に重視される指標
（資料）NBER（全米経済研究所）より、みずほリサーチ&テクノロジーズ作成

景気後退の判断を左右するのは、8つの経済指標と3つのD

果たして米国経済は（深刻な）景気後退に陥るのか。単純な答えは「インフレと米金融政策次第」であるが、ここでは、そもそも米景気の現状は、何を材料に、どのように判断すればよいかを解説しよう。

米国において、景気の山（ピーク）や谷（トラフ）を決めるのはNBER（全米経済研究所）に設置された専門家委員会である。彼らが重視しているのは、月次系列が6つ、四半期系列が2つ、計8つの経済指標だ。

月次系列には、家計の所得と消費、企業の生産、販売、雇用を示す指標が選ばれている（図1）。所得や消費、販売は、インフレの影響を除去した実質ベースである。また家計の所得からは失業給付等政府からの給付金を除くことになっており、民間セクターの実力としての所得を判断材料にしている。

月次系列のなかでも専門家委員会が重視しているのが、この所得に関する指標と、「雇用統計」の一部として日本のメディアでも取り上げられることが多い「非農業部門雇用者数」である。

米国では雇用規制が緩いため、雇用関連指標は景気循環とパラレルに動く点が日本と大きく違う。米国で非農業部門雇用者数の動向に注目が集まるのは、景気変動を敏感に反映するためだ。

NBERの専門家委員会は、これらの指標が落ち込んだ場合、その「深さ」(Depth)、「広がり」(Diffusion)、「長さ」(Duration) という3つの評価軸を基に、景気が山をつけて景気後退入りしたかどうかを判断している。

米国経済が景気後退入りなら、2020年以来である。前回の景気後退局面は、2020年3月と4月のわずか2カ月に過ぎない。通常なら、経済活動が落ち込んだ期間が短すぎて、「長さ」という基準から景気後退としては認められなかっただろう。しかし専門家委員会は、コロナ禍によってロックダウンを余儀なくされた米国経済の落ち込みの「深さ」や「広がり」が、きわめて深刻であったことを重視し、短期とは言え景気後退と認定したのであった。

四半期系列では、実質GDPと実質GDI (国内総所得) の2つが四半期ベースの景気の山・谷の認定に用いられる。この2つの指標は、付加価値の動きを生産面 (GDP) と所得面 (GDI) の両方でとらえる指標である。

日本では「エネルギーや食糧等の輸入物価が上昇したことで、海外に多額の所得が流出した」といったニュースを耳にすることが増えている。言い換えると、実質GDPよりも実質GDIが少ない状態だ。一方、資源国・農業大国である米国の場合、資源価格や食糧価格の高騰は、輸出を通じて所得を増やす方向に働く。物価高のもとでは、実質GDPでみて2四半期連続のマイナス成長になっても、実質GDIもそうなるとは限らないのである。

本格化する米半導体産業の製造力強化と気候変動対応

米国の経済構造に関わる問題として、米半導体産業の製造力は強化されるのか、気候変動対応はどれだけ進むのか、という論点がある。起爆剤は2022年に成立した2つの法律であり、重要技術の中国からのデカップリングという戦略が重ね合わされている。

1つはCHIPSプラス法 (正式名称はCHIPS及びサイエンス法) で、柱は5年間で540億ドルの半導体産業向け補助金だ。米国が弱い製造や組立をはじめとして (図2)、試験、先端パッケージング等の国内投資を促す。

CHIPSプラス法ではまた、5Gおよび後継無線技術のサプライチェーンに

図2　米半導体産業は優秀だが製造力が課題

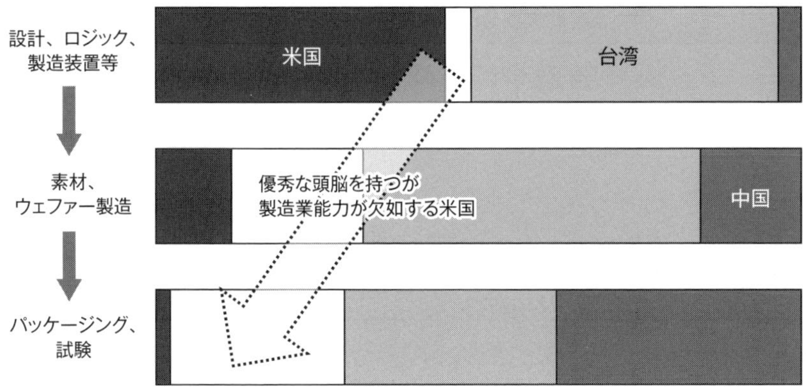

（注）2019年時点の工程別の各国シェア
（資料）米半導体産業協会より、みずほリサーチ&テクノロジーズ作成

おける競争力強化のほか、多額の資金が研究開発、技術移転、イノベーション、科学・技術・教育・数学（STEM）教育を支援する政府プログラムに振り向けられる方針が示された。

2つめは前述したインフレ抑制法である。インフレ抑制法によって、気候変動対策として10年間で3,849億ドル（ペンシルベニア大の試算）もの支援が行われる。米国の温室効果ガス排出量は、従来の対策と合わせて2030年までに05年比で約40%削減することになるという。

CHIPSプラス法もインフレ抑制法も産業政策であり、国家主導で産業競争力の強化を進める中国への重要技術・資源の依存度を引き下げ、米国が世界トップの地位を維持するという戦略の具現化でもある。そのため、中国とのデカップリングを図るための規定が盛り込まれた。CHIPSプラス法では、補助金を受けた企業は中国での半導体製造プロジェクトへの参加が禁じられる。インフレ抑制法には、中国等から調達した重要鉱物・部品を含むEV（電気自動車）は税額控除の対象から外す等の規定がある。米中対立による経済的分断は一段と進み、企業はさらに難しい経営のかじ取りを迫られることになる。

12 米国経済Ⅱ

大統領選挙に向け、2年間の模索が始まる

議会では新機軸より安全運転が先決

2023年の米国では、民主党のジョー・バイデン政権の第一期が後半に入る。24年の大統領選挙に向け、今後の米国の方向性を模索する2年間が始まる。

21年の発足以来、バイデン政権は「大きな政府」による改革を目指してきた。22年までの2年間では、インフラ投資や半導体産業の支援策、さらには気候変動対策等の立法化に成功している。

公約実現への道のりは険しかった。民主党は議会の上下両院で多数派だったが、共和党との議席の差は小さかった。議会での審議は難航し、公約の規模や範囲は大幅に縮小された。

中間選挙を経た23年も、バイデン政権の議会運営は綱渡りが続きかねない。24年の大統領選挙を念頭に、共和党はバイデン政権への対決姿勢を強めよう。バイデン政権としては、新たな政策の立法化よりも、スケジュールどおりの予算審議等、堅実な議会運営が先決だ。予算審議の遅滞は、政府機関の閉鎖をもたらす。23年中には法定債務上限の引き上げが必要になる見込みであり、議会の審議が混乱すれば、米国債のデフォルト懸念が浮上する。

政府の失策回避が「大きな政府」路線信任の条件

政策面でのバイデン政権の課題は、22年までに立法化に漕ぎつけた公約を、しっかりと実行に移すことだ。有権者が公約実現の成果を実感できれば、24年の大統領選挙を越えて、「大きな政府」による改革を継続しやすくなる。インフラ投資を迅速に進め、再生可能エネルギーに対する支援策を稼

図1　政府による失策が増えている

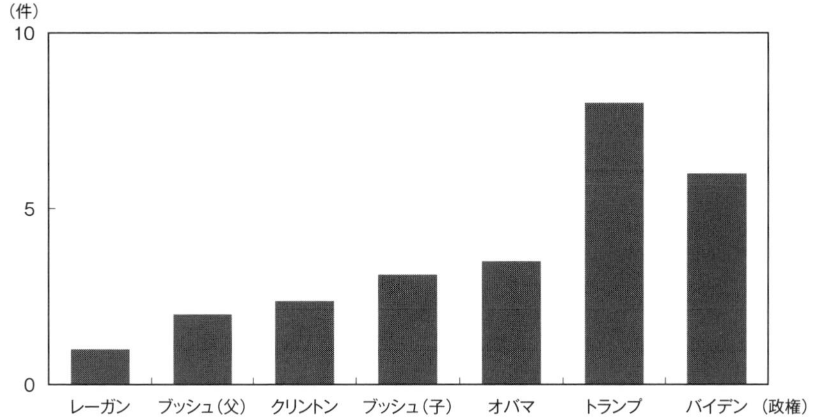

（注）年平均。バイデン政権は1年目。ニューヨーク大学のポール・ライト教授による集計
（資料）ブルッキングス研究所より、みずほリサーチ＆テクノロジーズ作成

働させる等、政府の実行力が問われる。

米国の有権者は、「大きな政府」の恩恵を実感しているとは言い難い。特に政府の力が期待されたコロナ対策で、バイデン政権は幅広い支持を得られなかった。厳しい感染対策への評価は分かれ、なかでも学校の閉鎖が相次いだ点に関しては、有権者の批判が集まった。22年夏までに感染への懸念は低水準に落ち着いたものの、政権発足当初は70％近かった政権のコロナ対策を支持する割合は、40％台に低下したままだった。

インフラ投資への支援は、立法化に成功したことすら理解されていない。関連する法律は21年7月に成立しているが、22年6月に行われた世論調査では、その事実を知っている割合は3割に満たなかった。

それでなくても近年の米国では、政府による失策が増えている（図1）。バイデン政権でも、アフガニスタンからの米軍撤退の混乱や、乳児用粉ミルク不足への対応の遅れ等の不手際が相次いだ。

度重なる政府の失策は、有権者の政府に対する信頼を損ね、「大きな政府」による改革への逆風となる。公約の着実な実行に加え、政府の失策を避けることが、24年の大統領選挙で「大きな政府」の改革路線が信任される条件だ。

政策が競われる舞台は州政府へ

見逃せないのは、州政府の動向だ。23年の米国では、連邦政府というよりも、州政府を舞台に新たな政策が競われる傾向が強まりそうだ。各州による取り組みの成否は、今後の米国の政策の行方を占うヒントになる。

州政府の存在感が高まる理由は二つある。

第一に、政治的な環境である。連邦政府では二大政党の勢力がきっ抗しており、政策運営が滞りやすい。これに対して州政府では、どちらかの政党が優勢である場合があり、踏み込んだ政策を進めやすい環境がある。

第二に、最高裁判所の判決によって、連邦政府の役割が縮小している。22年の米国では、最高裁が連邦政府の権限を狭める判決を立て続けに下している。たとえば最高裁は、妊娠中絶を憲法上の権利として認めてきた判決を覆しており、各州が中絶を認める条件等を決める役割を担うことになった。気候変動対策でも、最高裁は連邦政府が規制で対応できる余地を小さくする判断を明らかにしており、相対的に州政府による対策の重要性が高まっている。

民主党が主導権を握る州では、バイデン政権より大胆な政府の役割拡大が模索されている。コネチカット州やニュージャージー州では、格差の是正を目指し、貧しい世帯の子が生まれた時点で口座を設け、成人後に引き出せるよう補助金を積み立てていく枠組みが検討されてきた。気候変動対策でも、民主党を中心とした23人の州知事が最高裁の判決を批判する声明を発表し、州政府独自の取り組みを強化する覚悟を表明している。

一方で、共和党が主導権を握る州では、22人の州知事がバイデン政権の気候変動対策に反対する声明を発表している。不法移民対策でも、共和党の州知事が率いるテキサス州等が、受入れに寛容な民主党の主張に反発し、同州への不法移民を首都ワシントン等に大量に移送して物議を醸している。

州政府の取り組みが、二大政党による歩み寄りの先駆けになる可能性もある。風力や太陽光等の再生可能エネルギー関連施設の立地は、民主党の議員を選ぶ傾向が多い都市部よりも、共和党の地盤である人口の少ない地域が向いている。一般的に共和党は気候変動対策に消極的だが、地元の経済開発の観点からは、再生可能エネルギーへの投資を歓迎する素地がある。

図2　再出馬への期待は低い

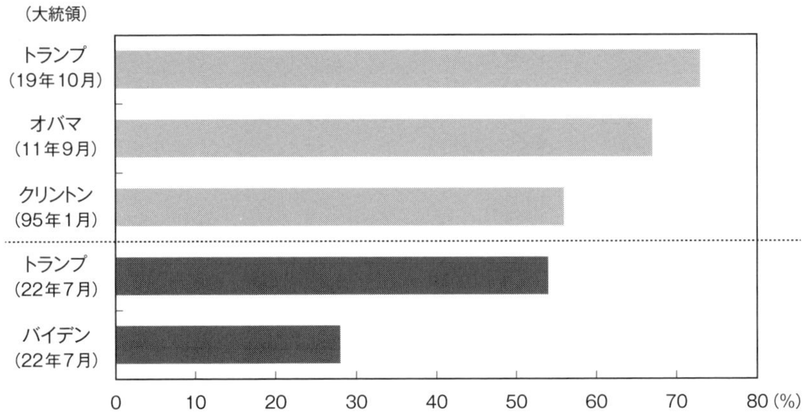

(注) 所属政党の支持者が再出馬を期待する割合、カッコ内は世論調査実施時期
(資料)『ワシントンポスト』等より、みずほリサーチ＆テクノロジーズ作成

次の世代のリーダーは現れるか

州政府の動向に注目が集まるもう一つの理由は、次世代のリーダーの模索だ。アーカンソー州知事だった民主党のビル・クリントン元大統領や、テキサス州知事を務めた共和党のジョージ・W・ブッシュ元大統領のように、米国では州知事が将来の大統領候補となった例が少なくない。

米国の二大政党は、未来を託せるリーダーを探している。22年夏の段階では、24年の大統領選挙へのバイデン大統領の再出馬を期待する割合は、民主党支持者の間ですら少数派だった。過去の現職大統領と比べても、異例の期待度の低さである。共和党の支持者がドナルド・トランプ前大統領の再出馬を望む割合も、同氏が現職だった当時より低い水準にとどまっていたのが現実だ（図2）。

米国では、ベビー・ブーマー（1946～64年生まれ）より若い世代の大統領が生まれていない。有権者の世代交代が進むなか、どこから次の世代のリーダーは現れるのか。24年の大統領選挙に間に合うとは限らないが、米国政治の今後を左右する模索が始まろうとしている。

13 欧州経済Ⅰ

歴史的な高インフレが消費を中心に欧州経済を下押し

欧州は約100年ぶりの「有事」に直面

2020年初に起きた新型コロナウイルスのパンデミックは、各種行動制限によるサービス業の落ち込みや供給網の混乱を引き起こし、2020年のユーロ圏実質GDP成長率は前年比▲6.1％の大幅なマイナス成長となった。翌2021年は変異株のまん延を背景に感染拡大と収束を繰り返したものの、ワクチンの普及に伴い経済活動が正常化に向かったことにより5.2％のプラス成長に転じた。2022年も回復が継続し、2021年ほどではないものの比較的高い成長率になるとの予測が年初の時点では支配的だった。

この楽観的な見通しを一変させたのが、2月下旬に始まったロシアによるウクライナ侵攻だ。欧州は地理的に戦場となったウクライナに近く、ロシアとの経済的な結びつきも強いことから大きな影響を受けている。欧州経済はコロナ禍前の成長トレンドに回帰する前に、新たな問題を抱えることになった。欧州が広範に戦場と化した当時とは状況が異なるものの、感染症と戦争が社会経済活動に深刻な影響をもたらしているという意味で、欧州は20世紀初頭の第一次世界大戦とスペインかぜの流行が重なって以来、約100年ぶりの「有事」に直面しているとも言える。

歴史的な高インフレに見舞われる欧州経済

最も深刻な問題となっているのは、エネルギーを中心とする物価の高騰だ。資源価格は世界的に高騰したが、特に欧州はエネルギーの多くをロシアに依存していたため、影響が大きかった。EU（欧州連合）は天然ガス輸入の4割程度をロシアからの輸入に頼っていた。特に、バルト三国や東欧諸国はロシ

図1　ユーロ圏のインフレ率（消費者物価）は歴史的な水準に

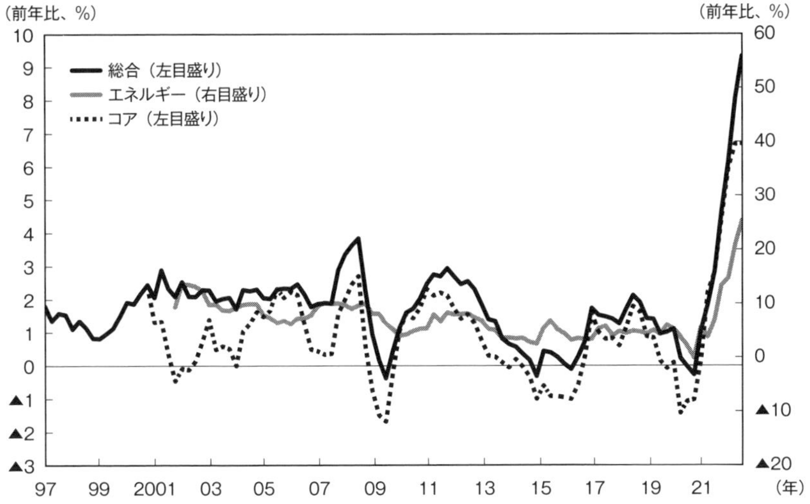

（注）コアはエネルギー及び食料品等を除く系列。四半期ベース。いずれの系列も統計開始時点から表示
（資料）Eurostatより、みずほリサーチ＆テクノロジーズ作成

アからのエネルギー輸入に大きく依存していたほか、EUで最も経済規模が大きいドイツが天然ガスの約6割をロシアから輸入していたことが、状況を深刻にした。侵攻開始後、ロシアからの天然ガス供給が停止する懸念が高まるなかで欧州の天然ガス価格は急騰し、エネルギー価格を中心に、ユーロ圏のインフレ率は統計開始以降類を見ない水準に上昇した（図1）。物価上昇の主因は資源高だが、企業の価格転嫁を通じて幅広い品目にインフレが波及し、エネルギーや食料品等を除くコア物価も過去最高の伸びを記録した。

このようにインフレが高進する一方、賃金上昇率はこれまでのところ大きく高まっていない。ユーロ圏の就業者数はコロナ禍前を上回り、失業率が過去最低水準に低下するなど、雇用環境は改善した。失業率の低下や物価上昇に伴い、労働組合による賃上げ要求が強まっているのは事実だが、一時金の支給やその他の待遇改善にとどまり、多くの企業では基本給を引き上げる動きにまで発展していない模様だ。

同じくインフレが加速した米国とユーロ圏だが、置かれた状況は大きく異なる。早期に最終需要がコロナ禍前を上回った米国では、インフレ高進に伴い賃金も上昇している。一方のユーロ圏は、そもそも需要がまだコロナ禍前のトレンドに戻っていないところに、資源高という外部要因を背景とするコスト・プッシュ型のインフレに見舞われた。需要が戻りきらない状態で、資源高によるコスト増加に見舞われたため、企業サイドに賃金を引き上げる余力がないことが、賃金上昇率が落ち着いている背景にあるとみられる。インフレが進行するなかでも賃金の伸びが鈍いことで、消費者の実質可処分所得が大きく落ち込んだ結果、消費者マインドは感染の急拡大により各国で都市封鎖が実施された2020年春先を下回る水準まで低下し、個人消費の下押し要因となった（図2）。

2023年のユーロ圏経済はマイナス成長

2023年のユーロ圏経済は、コロナ禍で急激に経済活動が落ち込んだ2020年以来のマイナス成長となる見込みである。エネルギー価格を中心としたインフレの影響で、2022年末から2023年初にかけて個人消費が落ち込み、景気後退に陥るとみられる。

西側諸国の経済制裁により打撃を受けているロシアにとって、欧州への天然ガス供給は重要な外貨獲得手段となっている。そのため、ロシアが欧州への天然ガス供給を完全に停止する蓋然性は低いだろう。しかしながら、ウクライナ戦争が長期化するなか、ロシアは資源供給停止をちらつかせながら欧州を牽制し続けるとみられる。EUは第三国からの天然ガス調達やガス消費の抑制、石炭火力や原子力への依存を一時的に強めることで、エネルギーの脱ロシア依存を図っているが、2023年中にロシア依存からの完全脱却を実現するのは難しいだろう。したがって、エネルギー価格の高騰に伴う物価の上昇は当面続くと予想される。特に、本格的な冬場を迎え暖房需要が増加する2023年初にかけて、エネルギー価格は一段と高騰し、インフレ率は2ケタに近づく見通しだ。一方で、インフレによる景気減速に伴って企業の採用意欲に陰りがみられることから、労働需給は今後緩和していく公算が大きい。そのため、先行きも賃金上昇圧力は高まりにくいとみられる。物価は一段と上昇するものの、賃金の伸びがそれに追いつかず、実質購買力は一層低下する

図2　インフレにより消費者信頼感（消費者マインド）は急激に悪化

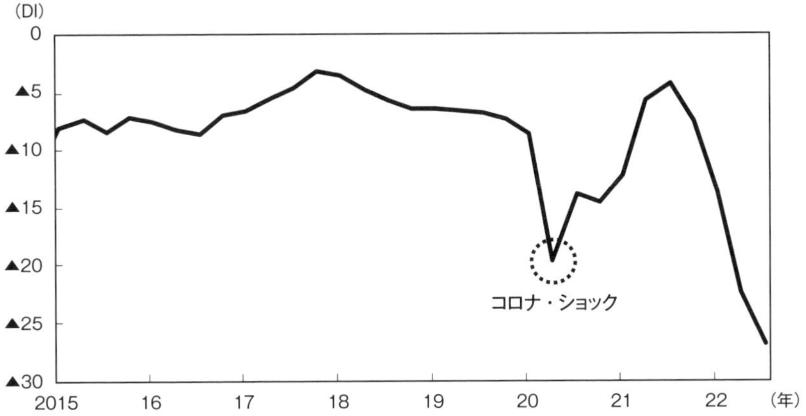

（注）四半期平均
消費者信頼感は、消費者の経済に対する見方（マインド）を表し、個人消費の先行指標とされている
（資料）欧州委員会より、みずほリサーチ&テクノロジーズ作成

だろう。各国政府による減税や補助金等のインフレ対策に加えて、コロナ禍で累積した家計の超過貯蓄がある程度下支えするとみられるが、特に2023年初にかけて消費が大幅に落ち込み、経済全体を下押しする展開は避けられない見通しだ。

加えて、ECB（欧州中央銀行）による利上げも、2023年の景気下押し要因になる。ECBはインフレを抑制すべく、2022年7月に11年ぶりの利上げに踏み切った。利上げは、企業や家計の借入コスト増加を招き、設備投資や住宅投資を下押しする。利上げの影響はラグを伴って発現するため、2023年に入ってから徐々に住宅投資や設備投資が落ち込み、経済を下押しすることが予想される。

さらに、米国を中心とした海外経済の減速も欧州経済にとってマイナス要因となろう。米国経済は、欧州以上に急速かつ大幅な利上げの影響で、2023年の成長率は大きく鈍化するとみられる。これに伴って、米国向けの輸出が減少し、欧州経済にも下押し圧力がかかるとみられる。インフレの高進に加えて、利上げや海外経済減速の影響が重なることで、2023年は欧州経済にとって厳しい一年となりそうだ。

14 欧州経済Ⅱ

EUはエネルギー政策を転換。政治面では南欧の選挙に注目

矛盾が露呈した欧州のエネルギー戦略

2022年の欧州は、2月に始まったロシアによるウクライナ侵攻への対応に大きく振り回された。EU（欧州連合）は各種の経済制裁やウクライナへの支援を通じ、「力による一方的な現状変更」を試みるロシアに厳しい姿勢で臨もうとしたが、天然ガスの供給減をちらつかせるロシアへの対応に苦慮する結果になっている。

もともとEUは、化石燃料から風力や太陽光等の再生可能エネルギー発電に移行することで、2050年までに脱炭素化を目指すエネルギー政策「欧州グリーンディール」を打ち出していた。しかし、再エネは天候によって発電量が左右され、電力を安定供給できないリスクがある。そのため、十分な再エネ関連設備が整うまでは、電力不足時に機動的に発電できる即応性を有し、石油や石炭よりCO_2排出量が少ない天然ガスを「移行エネルギー」として活用する計画だった。そして、その天然ガス輸入のうち約4割を、パイプラインがつながっており、比較的安価に調達できるロシア産に依存していた（図1）。ロシアの非民主的政治制度や人権状況を問題視しながらも、EUの脱炭素化計画はロシアへのエネルギー依存が前提となっていたのである。ウクライナ戦争は、欧州が抱えるこうした矛盾を浮き彫りにした。

ウクライナ侵攻後、ロシアはエネルギー資源の供給を増減させて西側諸国を揺さぶっており、欧州のエネルギー安全保障は脅かされている。こうしたなか、EUは新たなエネルギー戦略としてREPowerEUを公表した。2030年までに温室効果ガスを1990年比で少なくとも55%削減する目標を掲げたFit for 55を加速し、ロシアからの天然ガス輸入を2030年より早い段階でゼロに

図1　EUの天然ガス輸入は、ロシアへの依存度が大

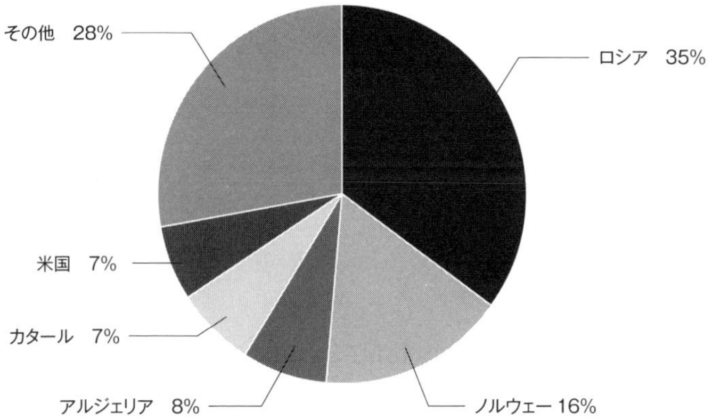

（注）2020年時点。天然ガスとLNGの合計で計算
（資料）Eurostatより、みずほリサーチ＆テクノロジーズ作成

する計画である。2022年中はロシア以外からのガス輸入拡大によって対処し、2023年以降は主に水素による代替を軸にロシア依存からの脱却とグリーン化を進める内容となっている。

2023年もガス供給停止懸念はくすぶり続ける見通し

欧州にとって最大の懸案事項は、ウクライナ戦争後初めて迎えるエネルギー需要期の冬を乗り切れるかどうかだ。REPowerEUは2030年までのロシア依存脱却計画だが、裏を返せば短期間でエネルギーのロシア依存をゼロにはできないことを示している。ロシアからの天然ガス供給が完全に停止した場合、欧州は冬場（2022年末～2023年初）の電力を賄うことができず、化学工業に代表されるエネルギー多消費産業の生産を一時停止する等の対応に追い込まれるであろう。

もっとも、ロシア側の事情を考慮すると、ガス供給が完全に途絶する可能性は低い。ウクライナ侵攻前、ロシアは天然ガスの約6割をEUに輸出していた。経済制裁で打撃を受けているロシアにとって、天然ガス輸出は貴重な外貨獲得手段になっている。ガス輸出の多くはパイプライン経由であるため、欧州向け輸出を停止した場合、他地域に輸出を振り向けるには時間とコストがかかる（新たなパイプラインを敷設するか、LNG（液化天然ガス）製造・貯蔵・運搬設備が必要になる）。また、天然ガス輸出を完全に停止してしまえば、ロシアは以後、欧州に対してウクライナへの支援停止を要求する際等に重要な交渉カードを失うことにもなる。

以上を踏まえると、ウクライナ侵攻前に比べて、ロシアから欧州への天然ガス輸出は2022年前半時点で約3分の1になっているが、ロシアは今後もある程度のガス供給を継続するとみられる。欧州サイドもロシア以外からのガス調達を増やし、冬場に向けて在庫を積み増す対応をしていることから、暖房需要期である2022年末から2023年初にかけても、ガス不足によって経済活動が大幅に制限される事態は避けられるであろう。ただし、ロシアとの根本的な関係改善が見込めない以上、供給停止懸念を背景にガス価格は高止まりし、インフレ上昇・景気下押し要因になり続けることが想定される。

政治ではスペインとギリシャの選挙が注目点

2022年は、フランスやイタリアといった欧州主要国の政治が動揺した。

4月のフランス大統領選挙では、ウクライナ情勢緊迫化に伴う高インフレが現職のマクロン氏に不利に働き、苦戦を強いられた。前回2017年の大統領選と同様に極右ポピュリスト政党・国民連合のルペン氏との一騎打ちになった決選投票では、マクロン氏が勝利したものの、ルペン氏が前回から大きく票を伸ばす結果となった。その後、6月に行われた国民議会選挙では、マクロン氏率いる与党連合が過半数を割る一方、国民連合や急進左派ポピュリスト政党・不服従のフランスを中心とする左派連合が議席を伸ばした。

元ECB（欧州中央銀行）総裁のドラギ首相のもとで一時的に政治の安定を謳歌していたイタリアでは、主要連立政党の離反をきっかけに政権が崩壊し、9月に前倒しで総選挙が行われた。選挙では極右ポピュリスト政党・イタリアの同胞が第一党となり、右派連立政権が成立した。イタリアはEU復興基金の恩恵を受けていることもあり、新政権は表立ってEUとの対立姿勢を示していないが、大衆主義的政策による財政悪化リスクには注意を要する。

図2　一人当たりGDPが低い国はポピュリスト政党の得票率が高い傾向

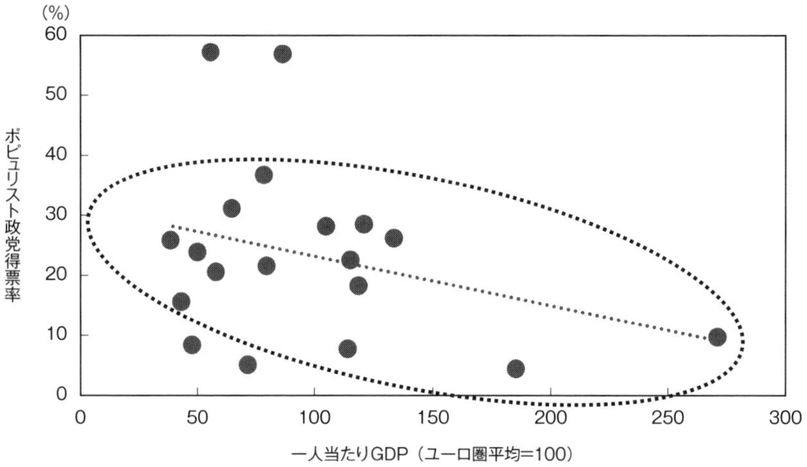

（注）統計の制約により、いずれも2018年の値を使用。ユーロ加盟国
（資料）Eurostat、Timbro、Tony Blair Institute for Global Changeより、みずほリサーチ&テクノロジーズ作成

2023年はスペインとギリシャで議会選挙が行われる。スペインでは、かつての二大政党の一角である中道右派・国民党が、現与党で中道左派の社会労働党を上回る支持を得ている。しかし、単独過半数獲得は難しく、移民排斥や反EUを掲げる極右ポピュリスト政党・VOXとの連立政権になる可能性がある。ギリシャでは、現与党の中道右派・新民主主義が安定した支持を得ているものの、単独過半数には届きそうもない。左派ポピュリスト政党・シリザあるいは他の極右政党との連立・閣外協力の可能性があり、財政状況やEUとの関係悪化が懸念される。

イタリアやスペイン、ギリシャ等の南欧諸国は、経済的にドイツ・フランス等の後塵を拝している。所得（一人当たりGDP）水準が低い国々では、バラマキや自国中心的な政策を主張するポピュリスト政党が支持を集めやすい（図2）。物価高騰で生活が圧迫されている低所得者の不満は、ポピュリスト政党に有利に働く。南欧諸国の政治不安定化は、対ロシア政策での足並みの乱れや、財政悪化懸念を通じた国債利回りスプレッドの拡大につながる可能性があり、2023年のリスク要因として認識しておく必要があろう。

15 中国経済Ⅰ

ゼロコロナに揺れる中国経済、2023年もV字回復は期待薄

上海ロックダウンの直撃で2022年4～6月期に景気が急減速

2022年の中国経済は、上海におけるコロナ感染の爆発的な拡大と、これに伴って3月末から約2カ月間に及んだ都市封鎖（ロックダウン）により、大きな打撃を受けた。4～6月期の実質GDP成長率は前年同期比＋0.4％と、1～3月期の同＋4.8％から急減速した（図1）。このため、上期の成長率は同＋2.5％にとどまり、中国政府が3月の全国人民代表大会（国会に相当。以下、全人代）で掲げた2022年の成長目標「＋5.5％前後」の達成が非常に難しい情勢となった。

景気急減速の主な要因は、消費の低迷である。4～6月期の小売売上高は同▲4.6％と前年を割り込み、とりわけ飲食サービスが営業規制等の制約を受けて同▲15.6％まで落ち込んだ。7月単月の小売売上高は同＋2.7％まで持ち直しているが、コロナ前の2019年の伸び率（前年比＋8.0％）に比べてなお低い水準にとどまっている。

ゼロコロナが経済に大きな負荷、雇用悪化で消費マインド低下

上海ロックダウンを契機として、中国政府はコロナの市中感染を徹底して封じ込めるゼロコロナ政策を一段と厳格化している。地方当局は、感染者を確認すればすぐさま大規模なPCR検査を実施して陽性者や濃厚接触者を洗い出し、局所的な封鎖と隔離の徹底による短期収束を図っているが、感染力が強いオミクロン株の特性から全国各地での散発的な感染発生がやむ気配はない。

ゼロコロナ政策に基づく措置は、厳しい行動制限と頻繁なPCR検査に加

図1　中国経済は上海ロックダウンの影響で急減速

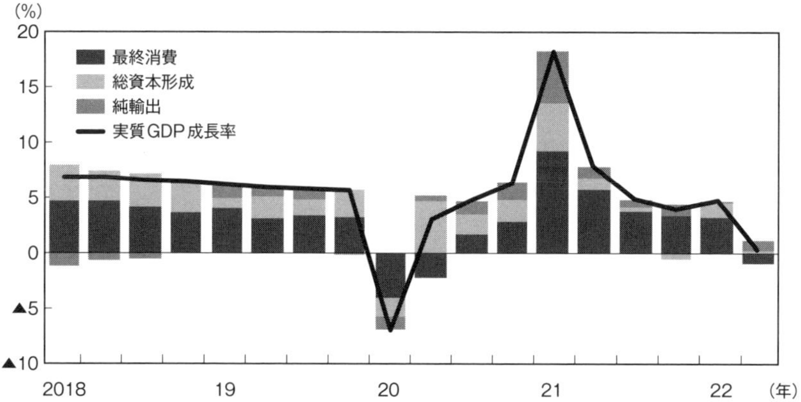

（資料）中国国家統計局より、みずほリサーチ&テクノロジーズ作成

え、飲食業をはじめとするサービス業への営業規制を伴うため、消費機会の喪失に直結する。医療提供体制が盤石とはいえない中国にとって、厳しい感染対策には一定の合理性があるとはいえ、経済活動に大きな負荷をかけ続けていることは否定できない。

ただ、消費の低迷には、こうした直接的な行動制限や営業規制以外にも原因がある。図2は、消費活動の実態に近い小売売上高の実質値と、モビリティ（道路混雑指数）を基にした小売売上高の推計値を比較したものである。ゼロコロナのもとではモビリティの減少が消費の減少に直結するため、2つの変化率は連動するはずだが、上海ロックダウン中の2022年4月以降に大きな乖離がみられる。つまり、モビリティに基づく推計値が示唆する以上に、実際の小売売上高が下振れているのである。

その理由の1つとして考えられるのは、雇用環境の悪化による消費マインドの低下である。企業は景気減速に対応するためリストラを進めているとみられ、都市調査失業率は4月に6.1%と、2020年2月以来の水準に達した。7月には5.4%まで改善したものの、なお厳しい状況が続いている。特に、16～24歳の若年失業率が顕著に上昇している。新卒一括採用の雇用慣行がない中国では、以前から13%前後の高水準で推移していたとはいえ、7月には

19.9％まで悪化しており、その高止まりが社会問題化する懸念もある。消費者・預金者向けアンケート調査でも、雇用の先行き期待の低下に沿って消費意欲の悪化がみられ、消費者の節約志向が強くなっている様子がうかがえる。

政府は大規模な経済対策に慎重、過剰債務問題の深刻化を警戒

中国政府は、景気の急減速に強い危機感を抱き、経済対策を加速させた。5月には、全人代で決定した減税・税還付措置を拡充して2.7兆元（約50兆円）規模としたほか、インフラ投資の原資となる地方政府専項債について、2022年の債券発行枠3.65兆元（約70兆円）で調達した資金を8月末までに使い切るよう指示した。また、若年層の雇用確保に躍起となっており、新卒等の就職・起業に対する補助金の支給や非正規労働者の社会保険料の補填といった支援措置を打ち出している。

一方で、李克強総理は7月、追加の大型景気刺激策に否定的な考えを示した。これ以上の大規模な財政出動や金融緩和は過剰債務問題をさらに深刻化させるおそれがあることから、2022年の成長率目標の未達を容認する姿勢を明確にしたのである。実際、8月に発表した追加対策では、専項債の発行枠を5,000億元（約10兆円）積み増すにとどめた。

中国の景気は2022年4～6月期に底入れしたが、下期もゼロコロナ政策による下押し圧力が続く一方、インフラ投資等の経済対策が景気を下支えしている。感染対策の厳格化により、上海のような大規模な感染が再発する可能性こそ低いものの、消費機会の喪失や雇用環境の悪化が消費の足を引っ張っている。加えて、不動産市場の低迷が景気の重石となっている。

ゼロコロナ解除でも試練は続き、中国経済のＶ字回復は期待薄

2023年の中国経済を見通す上でポイントとなるのは、ゼロコロナ政策がいつまで続くのかである。ゼロコロナの解除は、①中国の政治イベント、②中国製メッセンジャーRNAワクチン（以下、mRNAワクチン）の開発・普及状況、に左右されよう。

①については、全人代常務委員長や国務院総理をはじめとする次期中央政

図2　モビリティの低下以上に落ち込んだ消費

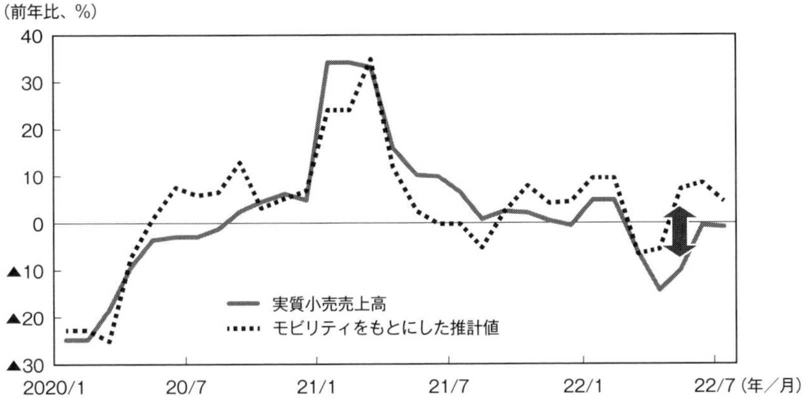

（注）推計値は、2020～2021年の道路混雑指数（100都市平均）より計算。実質小売売上高は、小売物価指数で実質化
（資料）中国国家統計局、高徳地図、CEIC、Windより、みずほリサーチ＆テクノロジーズ作成

府の人事が固まる2023年春の全人代までは、大きな政策転換を図る可能性が低いといえる。②は、複数の候補が臨床試験の段階にある。2022年内に生産を開始する見通しを示している企業もあるが、どの候補も実用化には難航しているとみられ、その進捗は楽観視できない。また、中国政府は海外製mRNAワクチンの承認に慎重であり、承認されるとしても中国製mRNAワクチンと同時期かそれ以降となろう。こうした変数を踏まえると、ゼロコロナの解除時期は早くても2023年4～6月期になりそうである。

ただ、ゼロコロナ解除後も中国経済の試練は続くであろう。厳格な感染対策が段階的に緩和され、サービス分野を中心とした消費の回復や不動産開発投資の底打ちが見込まれる一方、コロナ禍で傷んだ雇用・所得環境が消費マインド改善の足かせとなるからである。加えて、外部環境も厳しく、FRB（米連邦準備制度理事会）の利上げやウクライナ情勢を受けた世界経済の減速が強い逆風となる。

そのため、2023年の成長率は、中国経済の巡航速度とされる＋5.0～6.0%の下限に近い水準にとどまるとみる。2022年からは持ち直すものの、V字回復の勢いを期待することはできないであろう。

16 中国経済Ⅱ

転換点を迎える中国の不動産

規制「強化」と「緩和」を繰り返した不動産業界

中国経済にとって不動産は、建築等の関連業種を含めるとGDPの約3割を占める主要産業だ。しかし、昨今の低迷を背景に、業界の先行きを懸念する声が高まっている。低迷の主因は、①過熱感を抑制する規制の強化と②新型コロナウイルス蔓延による購入意欲の減退だが、①の規制要因は今回が初めてではない。

中国の不動産市場は、総人口の増加と都市化の進展を追い風に、経済成長の一翼を担ってきた。その過程では、一部都市での投機による不動産価格の高騰がみられたため、国民の住宅実需を充足すべく、また価格急落時の金融リスクへの波及を回避すべく、規制によるバブル抑制を行ってきた経緯がある（図1）。

2010年頃より本格的な不動産価格の抑制策が打ち出され、2件目以上の住宅購入の制限や住宅ローンの提供制限等の措置がとられた。また、2013年には住宅売却時の課税を強化した。一方、全国的な規制強化による市況の悪化をうけ、政府は2014年に入り、地域の実情に応じた対策を認める方針に転換した。そのため、購入制限を取り消す動きが各地で広がり、その後も規制緩和が続いた。

2016年に入ると、主要都市での不動産価格の上昇は再び顕著となった。政府は、中央経済工作会議で「住宅は住むためのものであり、投機の対象ではない」という政策方針を掲げ、投機を抑制する姿勢を明確にした。他方、地域により不動産市況の過熱感には差があり、具体的な政策は各地方政府に委ねる方針も示したため、規制緩和を続ける地域もあった。地方政府にとっ

図1　新築住宅価格指数は規制動向で上下

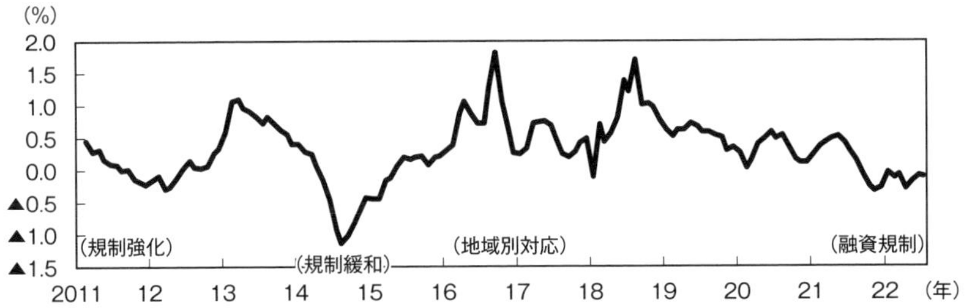

(注) 70都市平均、前月比
(資料) 中国国家統計局より、みずほリサーチ&テクノロジーズ作成

て保有する土地使用権を売却することで発生する収入（不動産使用権譲渡収入）は貴重な財源である。つまり、地方政府は不動産市況の悪化を回避したい一方で、中央政府の指示に従いバブルの発生も防ぐという難しい舵取りを担っていた。そのため、局所的には不動産バブルの発生懸念はくすぶり続けていた。

2022年は、融資規制強化による冷え込みにコロナが追い打ち

2019年になると、政府は新たに「不動産を短期的な景気刺激の手段としない」という方針を発表し、長期的で効果的な管理方法の実現を目指した。つまり、不動産頼みの経済から脱却を図ろうとしたのだ。そして、需要サイドを中心としたこれまでの抑制策から、供給サイドの規制強化にあたる「三条紅線」（不動産ディベロッパー向け融資規制）を2021年より本格導入した。ディベロッパーの財務体質の改善を図り、不動産を起点とした金融市場における混乱の発生を回避する目的もあった。具体的には、財務指標（資産負債比率等）にレッドラインを設定し、企業の達成状況に合わせて新規借入の増加率に上限を設けた。

融資規制により、2021年後半には不動産開発投資が縮小し（同年下期は前年同期比▲4.1%）、不動産価格も下落トレンドに入った。政府の想定を超える作用をもたらしたことから、不動産の実需に対する資金ニーズが満たされるよう政策を微調整した。また、業績が堅調なディベロッパーが、不振企業

のプロジェクトを買収する際の資金調達の枠組みを整える等、冷え込みすぎた不動産市場のてこ入れを図った。こうした政策の調整をうけ、2022年初には投資や販売面積等の指標に持ち直しの兆しが現れた（図2）。

しかし、不動産市場は2022年3月に再び落ち込んだ。上海をはじめとする感染拡大がショールームの閉鎖等を通じて、住宅用不動産の販売機会を奪ったことに起因する。全国的に感染のピークを迎えていた同年4月の不動産販売面積は、前年同月比▲39.0％と記録的な落ち込みとなった。コロナを通じた需要ショックの直撃を受け、不動産開発投資は二番底に直面する格好となった。

事態を深刻に受け止めた政府は、頭金規制等の購入にかかる制限を緩和し実需の喚起に動いた。さらに、同年5月には中国人民銀行と中国銀行保険監督管理委員会によって、1件目の住宅購入に対する住宅ローン金利の引き下げが発表された。ただし、需要の動向を示す不動産販売面積や、ディベロッパー向け国内貸出といった供給サイドの先行指標は、年央以降も低調な推移が続く。過去の不動産市場の低迷期では、同貸出残高と不動産開発投資の底入れ時期について、前者が後者をおよそ半年間先行する傾向にあることから、投資の底入れは早くても2023年前半と予想される。

不動産から金融や地方財政へ飛び火も

長引く業界の低迷により、①ディベロッパーの倒産増、②（工事が滞っている物件に対する）住宅ローンの返済拒否、③不動産使用権譲渡収入の減少による地方財政の悪化等、問題が広範に波及しつつある。

①と②については、商業銀行が不良債権の増加や資金調達コストの上昇という形で悪影響を被る懸念がある。しかし、商業銀行の経営危機に発展するような、金融システムリスクに波及する事態は回避するとみる。なぜならば、中国の金融機関は規制に守られているため比較的利益を確保しやすく、また商業銀行全体での不良債権カバー率は197％と十分な引き当てを確保しているからだ。もちろん、各商業銀行の経営状況には濃淡があり、すべての銀行が一律で安全だとは言い切れないが、総体的にはリスクへの耐性を備えていると評価できる。

他方、③については、①や②より事態は深刻で、長期・短期の双方で影響

図2　規制強化とコロナで不動産開発投資は低調

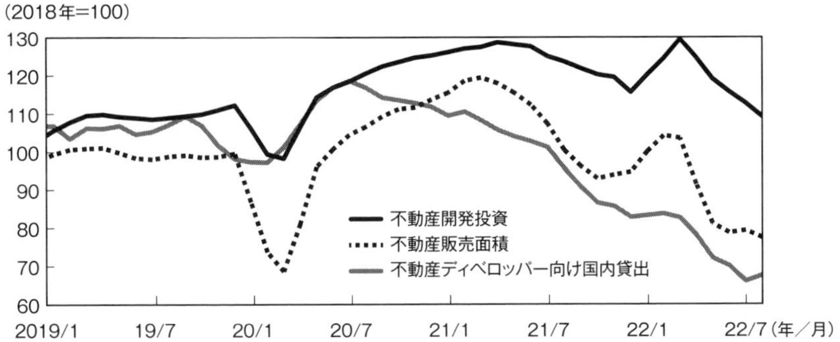

(注) 3カ月移動平均
(資料) 中国国家統計局より、みずほリサーチ&テクノロジーズ作成

が生じる。短期的には、地方政府の歳出抑制が景気の下押し要因となり、少し長い目で見ると、過剰債務を抱える一部の地方都市の財政破綻リスクを増幅させたといえ、留意すべきだろう。

不動産に代わる成長ドライバーの育成が不可欠

近年の不動産をめぐる政策動向を俯瞰すると、不動産投機の抑制はもちろん、不動産に依存する経済構造にメスを入れようとしており、このスタンスは変わらないとみるべきだ。そのため、過去のような不動産投資の高成長は期待できず、中期的に一桁台前半の成長が続くと予想され、経済のけん引役とはなり得ない。

不動産頼みの経済により過剰債務や格差等、多くの副作用が顕在化しており、脱却を目指す方向性は間違っていない。ただし、「ポスト」不動産となる産業を育成し、経済成長の源泉を確保する必要がある。また、将来的には不動産や関連業種での雇用は縮小し、その受け皿も必要となるだろう。そのため、第14次五カ年計画（2021～25年）で力を入れているハイテク分野を中心とした「戦略的新興産業」の育成は、中国経済の先行きをみる上での一つのポイントとなろう。2023年以降、不動産のみならず中国経済そのものが転換点に差し掛かる。

17 アジア経済Ⅰ

2023年は世界経済減速と物価・金利上昇が重石に

2022年にアジアの景気回復は本格化

アジア経済は、先進主要国を後追いする格好で、コロナ禍で抑制されていた経済活動を再開させた。これに伴い、欧米に遅れる形で、2022年に入って本格的な景気回復局面をようやく迎えた。

アジアで行動制限の緩和が進み、コロナ禍で抑制されていた経済活動が再開したのは、2021年後半になってからのことだ。その頃には各国でワクチン接種率が上昇したことを受け、夜間営業規制やグループ行動時の人数制限など、各種の制限が緩和され始めた。そして2022年夏までに、多くの国で人流がコロナ禍前の水準に戻った。人流の正常化につれて個人消費の回復が本格化したことは、景気全般の回復につながった。

国内の活動制限だけでなく、入国規制についても緩和が進んだ。入国に際する事前申請の簡素化や入国後隔離措置の廃止など、水際対策が緩和されたことで、低迷が続いていた観光業もようやく回復局面に入り、各国の外国人観光客数は持ち直し傾向が強まった。

また、コロナ禍で停滞していた海外からの投資も、流入が底打ちする動きを見せるようになった。

2023年は世界経済の減速やインフレ高進が景気の重石に

しかし、順風満帆な回復は長く続かないだろう。2023年のアジア経済には、すでに暗雲が垂れこめている。

まず、先行きは米欧の景気減速が見込まれる（論点11、13を参照）。海外経済の減速は、財貨輸出の不振を通じてアジア経済の重石になるだろう。

図1　各国の金融政策の変遷

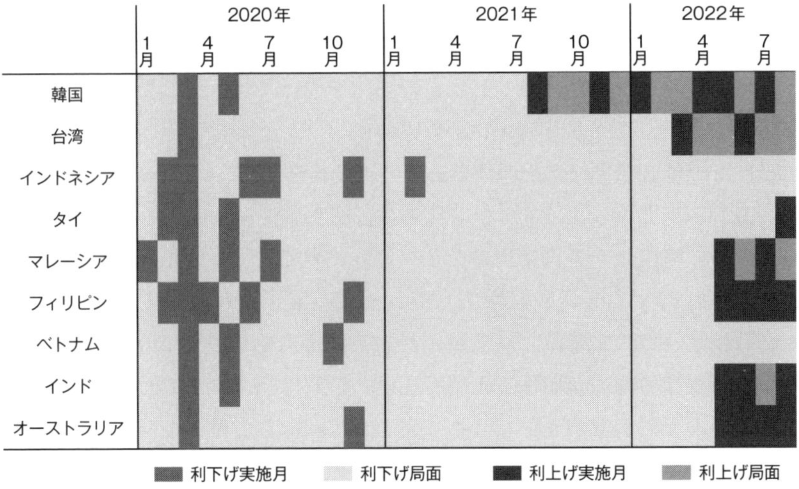

（注）2022年8月19日時点。利上げ局面は、2020年以降最初の利上げ月より後、利下げ局面は、2020年以降最初の利上げ月より前とした
（資料）各国統計より、みずほリサーチ&テクノロジーズ作成

次に、インフレと金利上昇が景気を下押しする見込みだ。アジア各国のCPI（消費者物価指数）は、リーマン・ショック時やアジア通貨危機時に比肩する高い伸びが続いている（2022年8月時点）。アジアの多くの国々はまだ景気回復の途上にあるため、可能であれば金融緩和を続けたいのが各国中銀の本音だろう。しかしながら、インフレの高進と、米欧の利上げによる通貨安への対応を強いられ、早くも利上げに転じる国が増えている（図1）。とりわけ、韓国は7月13日に0.5％の利上げを決定したが、0.5％という利上げ幅は、韓国中銀が1999年に現在の金融政策の枠組みを採用して以来最大だ。また、同月14日にはフィリピンが0.75％の緊急利上げを決定した。こちらも、一度の利上げ幅としては過去最大だ。このように、インフレが一段と加速するなか、各国中銀の危機感は高まっている。

今後インフレが高止まりする場合は利上げ局面が長期化し、景気への下押し圧力が残存し続けるだろう。それでは、アジアでは、インフレ高進やインフレを受けた利上げ局面はいつまで続くのだろうか。

物価の高止まりで金利は上昇

以下では、インフレ要因を輸入物価要因と国内要因に分けて見ていこう。

現下のインフレは、国際商品価格の高騰を受けた輸入物価要因の高まりが主因だ。ただ、こうした輸入物価要因のインフレ圧力は、世界的な景気減速を受けて国際商品価格が一服することで、今後弱まっていくと予想する。

一方、国内要因によるインフレ圧力は、これから強まっていく可能性がある。第一の理由は、労働市場のタイト化だ。すでに、各国ではコロナ禍後に企業求人に対する欠員数が増加しており、人手不足が深刻化している（図2）。特にサービス業では、落ち込んだ需要がようやく戻りつつある反面、なかなか必要な労働力が確保できていない。これは、コロナ禍からの回復過程で、これまで製造業がサービス業に先んじて回復し労働力を吸収してきたことで、サービス業の人員採用が出遅れたためと考えられる。特に、アジアではコロナ対策の緩和につれて観光などサービスの需要が回復した一方で、労働者の確保は追い付かず、人手不足感が強い。賃金は景気回復に対して遅れて上昇する傾向にあるため、今後は賃金上昇が価格に転嫁される形で、物価の押し上げ要因になるとみられる。

第二の理由は、物価抑制策の縮小だ。今のところ各国は補助金政策や価格統制策などを講じ、物価高対策を続けている。しかし、コロナ禍での歴史的な拡張財政により各国の政府債務残高は急激に増加しており、追加的な財政支出の余地は小さい。今後景気が回復していくなかで財政正常化へ舵を切る国も増加すると見込まれ、物価抑制策の継続・維持には徐々に限界が来ると考えるのが自然だろう。

以上より、国によって差はあるが、アジアではインフレ率が当面高止まりする見込みだ。特に、ベトナムやインドネシア、タイについては、周辺国と比較して現時点の金融引き締めが遅れていることが、今後のインフレ長期化の一因になりそうだ。対照的に、早い時期から積極的に利上げを進めてきた台湾は、利上げの効果が早期に表れはじめ、2023年半ばにおおむね平時並みのインフレ率に収束すると予測する。

政策金利の見通しに関しては、先行きのインフレ高止まりを前提とする

図2　企業求人に対する欠員数

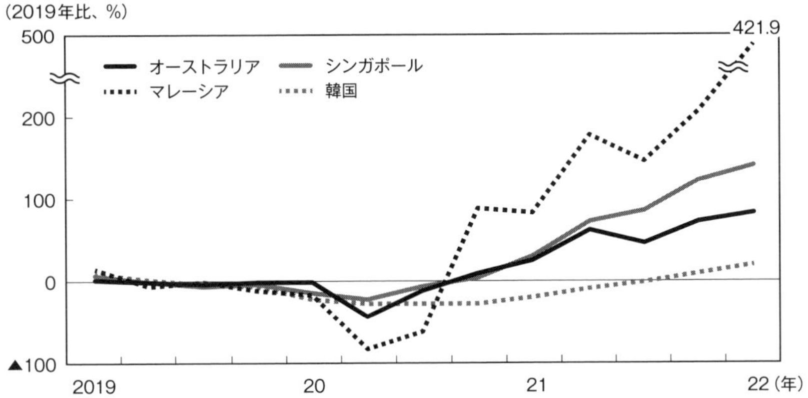

(資料) 各国統計より、みずほリサーチ&テクノロジーズ作成

と、ASEAN諸国などでは利上げ局面の長期化が懸念される。特に、ベトナム、インドネシア、フィリピン、そして韓国では2023年後半まで高めのインフレ率が続くと予想されるため、2023年も積極的な利上げ局面が続く見込みだ。また、上記4カ国と比べるとインフレが緩慢な台湾、インド、マレーシアについても、2023年末まで緩やかな利上げ局面が継続する可能性がある。

2022年に回復したアジア経済は、2023年は減速へ

2022年のアジア経済は、基調としてコロナ禍からの回復の途上にあり、消費やサービス業を中心に拡大した。しかしながら、先行きに見込まれる米欧の景気減速に加え、インフレや金利上昇が阻害要因となり、2023年の景気は減速を予測する。インフレや金利上昇による阻害要因については、①物価上昇による実質所得の目減りが個人消費を下押しするほか、②金利上昇によってコロナ禍で積み上がった家計や企業の民間債務の返済負担が増加し、個人消費や民間投資の抑制要因になるとみられる。特に、②の金利上昇を通じた影響については、韓国やベトナムに注意が必要だ。両国とも、前述のとおり利上げ幅が大きいと見込まれることに加え、民間債務残高も大きいため、内需への下押し影響が現れやすい状況にある。

18 アジア経済Ⅱ

人口動態の変化が促す産業の新潮流

2023年に中印の人口が逆転

2023年は、アジアの人口動態で画期的な年となりそうだ。国連が2022年7月に公表した最新の予測によると、長らく人口世界一の座にあった中国は2023年に14億2567万人となり、インドの14億2862万人に逆転されるという。中国の人口は2022年から減少を始めた可能性がある一方、インドの人口は今後も増え続けるため、2050年には中国が13億1263万人に対し、インドは16億7049万人と差が開く予想になっている。

インド以外のアジアでは、東南アジアの人口も、ペースこそ鈍るものの拡大を続けると見込まれている（図1）。

経済を見る上で重要なのは、人口の規模だけでなく、その年齢構成だ。以下では、生産年齢人口（15～64歳）が増え続け、かつ総人口に占める生産年齢人口の比率が上昇する期間を「人口ボーナス期」と定義する。逆に、人口が減り、かつ生産年齢人口比率が低下する期間を「人口オーナス（負担）期」と定義し、人口動態の観点からアジア経済の行方を展望する。

アジア各国では人口動態にバラつき

アジアでは人口ボーナスの期間にバラつきがあり、21世紀半ばまで長続きする国（フィリピン、ラオス、カンボジア等）、2030年頃まで続く国（インド、バングラデシュ、インドネシア、ミャンマー等）に大別される。対照的に、人口オーナス期がすでに始まっている国（中国、シンガポール、タイ、韓国等）もある（図2）。

人口動態は長期的な経済成長に影響する。人口ボーナス期は経済成長にと

図1　中印の人口は2023年に逆転へ

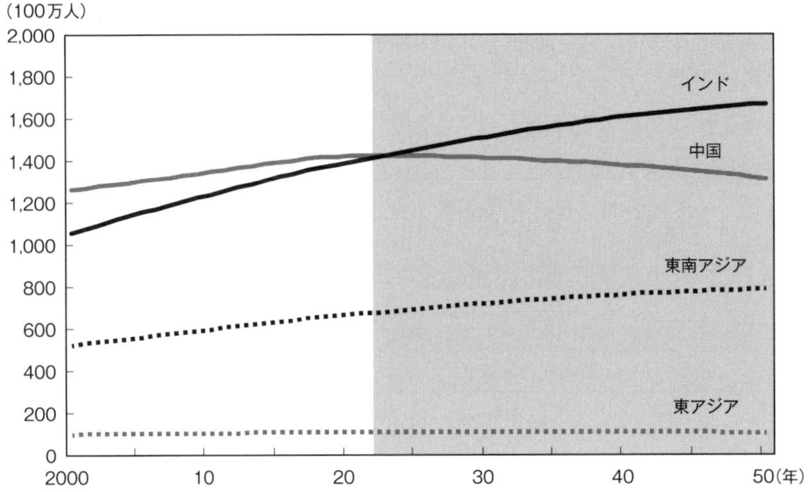

（資料）国連より、みずほリサーチ&テクノロジーズ作成

図2　アジアの人口動態はバラついている

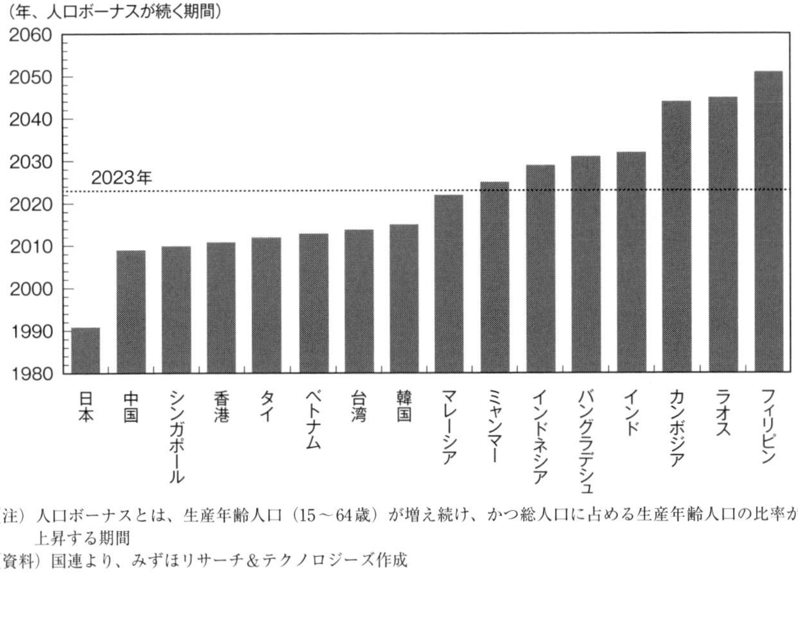

（注）人口ボーナスとは、生産年齢人口（15～64歳）が増え続け、かつ総人口に占める生産年齢人口の比率が上昇する期間

（資料）国連より、みずほリサーチ&テクノロジーズ作成

ってプラスであり、生産年齢人口が増えるにつれて労働投入量が増える。かつ、現役世代である生産年齢人口の比率が増える局面では、マクロ的に貯蓄率が上昇しやすく、その貯蓄を活用した投資も活発化しやすい。

これに対し、人口オーナス期には、労働投入量が減り、貯蓄は取り崩されて投資も停滞しがちになるため、経済成長には逆風が吹く。かといって経済成長が見込めないわけではなく、外国の労働力・販売市場・投資資金を活用したり、一人当たりの生産性を引き上げたりすることが成長のカギを握る。

人口ボーナス期の国は、労働集約型の製造拠点となる期待

人口ボーナス期の国では、生産年齢人口が増加することは、安価な労働力が豊富に供給されることを意味する。このため、日本など人口オーナス期を迎えた先進国からは、労働集約型の製造拠点として魅力的となる。

アジアで人口ボーナス期が続く国には、フィリピンやインドネシアといった投資先として「すでに馴染みの国」だけでなく、インドやバングラデシュ、カンボジアといった「まだ馴染みの薄い国」もある。後者の国々は、コロナ前にも労働集約型製造拠点として注目されたことがあったが、コロナ禍が最悪期を脱することで再び脚光を浴びると期待される。

たとえばバングラデシュは、1億6千万人の人口（世界11位）を誇り、それが日本の4割ほどの国土に密集するため、労働力を集めやすいという強みを持つ。実際に、弊社が2022年6月に東南アジア地域でヒアリングを行った際にも、工場進出先、また消費市場のフロンティアとして、バングラデシュ進出を検討する日系企業は増えているとの認識が複数で聞かれた。

人口オーナス期の国では、高生産性産業が成長の軸足

中国、韓国、タイはすでに人口オーナス期を迎え、マレーシアも2023年から、次いでベトナムも2030年代からその局面に入る。国内の生産年齢人口が制約されるため、成長の源泉を国外に求めるか、国内での生産性向上に求めるしかない。各国政府も、労働投入型から高生産性型への産業転換に取り組んでいる。

たとえばマレーシアとベトナムでは、2016年頃からエレクトロニクス製品

の輸出が他のASEAN諸国を上回るペースで増加を続けており、産業構造は高度化に向かっているようにみえる。マレーシアについては、半導体等の「電機・電子」分野で外国からの直接投資が2021年に急増し、2022年に入ってからも活発に推移した。ベトナムについても、直接投資の詳細な統計はないものの、2022年には半導体関連企業による同国への進出発表が相次いだ。2023年以降はこれらの投資が結実して工場の立ち上がりにつながるため、両国からハイテク製品の輸出が期待される。

中印では特徴的な産業の動き

人口オーナス期の中国も生産性向上を課題としており、特に「自立的なイノベーション」を目指していることが特徴的である。2020年までの第13次五カ年計画でも「イノベーション」を重視していたが、2021年からの第14次五カ年計画では、「自立を目指したイノベーション」が重要課題の第一に掲げられた。「自立」を強調した背景には、米国との対立を受けて、外国企業に依存してきたハイテク製品の国産化を目指す狙いがあるとみられる。具体的には、人工知能（AI）、量子情報、半導体、バイオテクノロジー、航空宇宙・深海技術等の先端技術を国家主導で開発する方針だ。2022年秋に5年ごとの共産党大会が開かれたことを経て、2023年春に開催予定の全国人民代表大会（全人代、中国の国会に相当）では、党大会での決定事項とともに自立的イノベーションの産業政策が改めて確認されるだろう。

一方、人口ボーナス期が続くインドでは、労働集約型産業の発展が期待されるが、むしろハイテク分野で動きがみられることが特徴的である。インド政府は、2020年に始まった外資誘致策（PLI）で、携帯電話・電子部品、高度化学電池、医療・医薬等のハイテク分野に潤沢な補助金を充てた。そして、2021年の直接投資統計によるとIT関連の投資が堅調に推移しており、2022年も報道によると米大手IT企業からの巨額投資は継続した。米中対立を懸念するIT企業が、投資先を多様化する動きがインドにも及んでいる模様である。政府のハイテク重視策や米中対立でハイテク産業には追い風が続くとみられるが、世界最大に膨らむ人口に雇用の受け皿を創出するためには、労働集約産業のテコ入れにも取り組むことがインドに残された課題だ。

19 新興国経済Ⅰ

インフレ・通貨安・世界経済減速リスクに直面

グローバルインフレでリスクに晒される新興国

新興国経済は、ウクライナ情勢に影響を受けたグローバルインフレの加速と、米国利上げに伴う資金流出圧力、そして世界経済の減速懸念により、大きなリスクに晒されている。

まず、グローバルインフレに関しては、ウクライナ侵攻の開始以前も、コロナ禍の影響による供給制約や経済活動の再開を受けて、国際的にエネルギーや食糧などの資源価格の上昇が続いていた。その後、2022年2月のウクライナ侵攻により、ロシアが輸出している石油・天然ガスの高騰に加え、ロシア・ウクライナ両国が世界的な輸出国である小麦価格も急騰、グローバルインフレが一段と加速する事態となった。

新興国は、家計支出に占める食糧やエネルギー向け支出の割合が高い傾向にあり、食糧・エネルギー価格の高騰は、先進国に比べて一段と家計を圧迫する傾向が強い。

先進国の利上げで、資金流出圧力が強まる

主要先進国の金融政策の変化も（論点24、25参照）、新興国には新たなリスク要因となっている。インフレが看過できない水準になってきたことを踏まえ米国FRBは、2022年5月に利上げに踏み切り、その後も6月のインフレ率が40年ぶりの歴史的な水準となるなか、異例のペースでの利上げを続けている。また、欧州も7月に11年ぶりの利上げを決定している。

過去の事例をみれば、利上げや量的緩和政策の縮小など、特に米国の金融政策の変更は、新興国に流入していた資金の巻き戻しを引き起こすことが多

図1　政府債務残高（対GDP比）

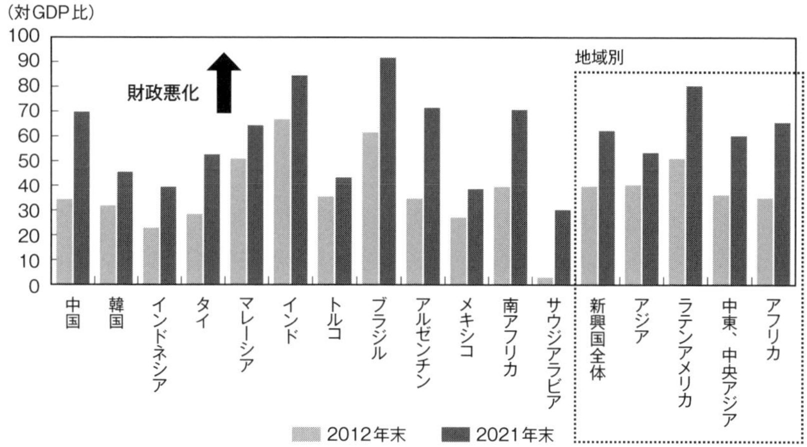

（資料）IMF（国際通貨基金）より、みずほリサーチ&テクノロジーズ作成

い。

たとえば、ウクライナ侵攻後の時期と、2013年テーパータントラム（米国量的緩和策の縮小観測に起因する資金流出）の時期を比較すると、2022年2月下旬以降、新興国からの資金流出が2013年と同様に発生している。3月以降は韓国や台湾を中心に地政学リスクの高まりや、中国のコロナ抑え込み（ゼロコロナ）政策によるサプライチェーン制約の影響もあり、韓国・台湾からの資金流出額が相対的に大きいものとなった。他方、韓国・台湾からの資金流出を除いたその他新興国全体で見れば、個別国ごとの差はあるものの、テーパータントラムほどの流出のスピードは観測されていない。現時点では、新興国がさまざまなリスクに晒されるなか、資金流出の背景がより複合的になっている側面もあり、警戒が必要な状況は続くと見込まれる。

世界経済減速も新興国には追い打ち

加えて、新興国は世界経済減速に伴う輸出の減少の影響も受けることになる。前述の中国のゼロコロナ政策によるロックダウンの結果としての供給制約の影響に加え、今後、欧米の利上げにより世界経済全体の景気減速感が強まる場合には、シンガポールや、タイ、ベトナムなどの外需依存型の経済構造を持つ新興国を中心に、輸出の低迷により景気が下押し圧力を受けるリスクが大きくなる。

リスクを見通すためのポイントは債務負担増とデフォルト波及の行方

このようなさまざまなリスクに直面する新興国経済の今後のリスクを見通すためのポイントは大まかに2つであると考えられる。第1に、コロナパンデミック対策の財政出動の影響もあり、過去、新興国の債務残高が増加しているが、利上げに伴う債務負担増が、新興国経済にどのような影響を与えると考えるか。第2に、資金流出と通貨安圧力が続くなかで、対外支払いが困難化することから、デフォルト危機の発生と波及をどう考えるかという点である。

第1の論点の債務残高に関しては、図1を見るとコロナ禍の影響で、2020年以降、新興国の財政状況は軒並み悪化している。テーパータントラム前(2012年末)の時期と比較しても、2021年末では財政債務残高のGDP比が上昇している新興国が大半だ。大陸別でみれば、アフリカ、ラテンアメリカの悪化幅が大きい。

食料やエネルギー向けの補助金政策や価格統制をしている国では、資源価格高騰で、今後、財政負担がさらに増す可能性もある。財政面での負担増は脆弱性を抱える一部の新興国にとって政策面で極めて厳しい状況を招いている。

デフォルト波及リスクは低いが、資金流出・通貨安の長期化も

第2の論点のデフォルト発生と波及に関しては、結論を先取りすれば、デフォルトの波及リスクは、現時点では限定的であると考えられる。前述のとおり、新興国は、金融引き締め（利上げ）と通貨安の影響を対外債務に対する負担増という形で直接受ける格好となっている。しかし、経済規模の比較的大きなASEAN5やブラジル、インドなどの主要新興国では、外貨準備を着実に積み上げてきている。

図2　対外債務と外貨準備・経常収支の比較

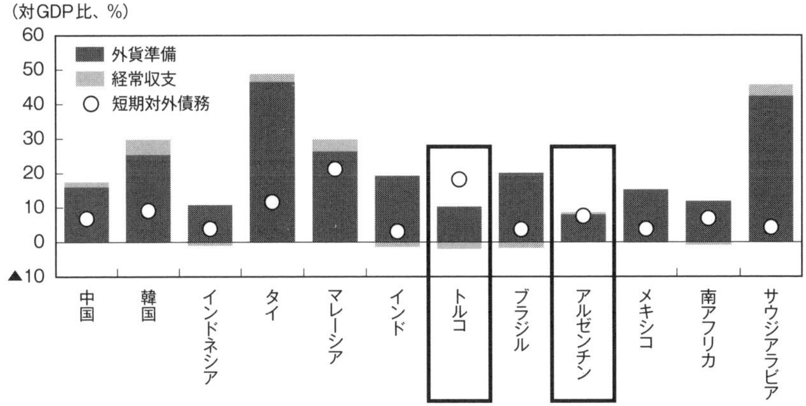

（資料）IMF（国際通貨基金）、世界銀行、CEIC dataより、みずほリサーチ＆テクノロジーズ作成

図2では、外貨準備と経常収支、一年以内に支払い時期を迎える短期対外債務を比較し、短期的な支払い余力を確認している。トルコ、アルゼンチンを除けば、短期的な支払いは、潤沢な外貨準備と経常収支の状況から見ても履行可能であり、規模の大きな新興国での対外デフォルトリスクは限定的だ。

他方、図2に掲載していない脆弱国もある。スリランカでは、すでに外貨準備の枯渇から、政府が国家破綻を宣言し、食糧や燃料の輸入のための対外支払いに窮する状況が続いている。外貨準備不足や経常赤字の拡大で経済ファンダメンタルズが脆弱な国々をみれば、局所的なデフォルトの発生確率は高まっている。また、先行きの新興国の景気は、前述のとおり利上げとインフレ、世界経済の減速で下押し圧力が大きくなっており、新興国を取り巻く環境は厳しい。

先行きを展望すると、今後新興国からの資金流出のトレンドが突発的なイベントにより強まる可能性もある。新興国に対する通貨安圧力が想定外に長期化する場合には、景気低迷とインフレ加速が同時進行するスタグフレーションの可能性もゼロではない。新興国経済をめぐる経済や市場動向、政府の政策対応にはこれまで以上に目配せが必要となろう。

20 新興国経済Ⅱ

新興国の食糧不足に潜むグローバルリスク

ロシア・ウクライナ情勢が世界的な食糧供給ショックに

2022年は、ロシア・ウクライナ情勢の緊迫化を皮切りに、食糧供給の減少、価格高騰が生じた。

ロシアとウクライナは、世界的な穀倉地帯である。世界の穀物輸出のうち、ロシアとウクライナは9%程度を占めていた（2018年時点）。しかし、こうした穀物の供給は、情勢悪化によって打撃を受けている。供給再開に向けた動きは見られているものの、海上輸送網の混乱や、ウクライナでの作付減等、供給不足継続の懸念材料は尽きない。

ロシア・ウクライナ産穀物の供給減は、ほかの食糧の供給にも波及している。代替品としての需要が高まった品目や、飼料不足を受けて価格が高騰した畜産品等について、国内供給を優先するために輸出規制を実施する国が相次いだ。具体的には、インド産の小麦、インドネシア産のパーム油や、マレーシア産の鶏肉等が挙げられる。米シンクタンクの国際食糧政策研究所によると、2022年8月時点で20カ国が食糧30品目の輸出停止措置、6カ国が7品目の輸出承認制を取っている。これらの措置は2022年内限りの措置が多数であるものの、ロシア・ウクライナ情勢が不透明であることを踏まえれば、規制措置が延長される可能性も否定できない。

食糧不足にあえぐ新興国

ロシア・ウクライナ情勢と世界的な食糧囲い込みのなかで、新興国や低所得国は食糧不足に苦しんでいる。とりわけ影響が大きいとみられるのが、ロシアやウクライナ産の穀物に依存する、中東やアフリカ地域である。世界各国の穀物自給率と、穀物輸入に占めるロシア・ウクライナ産の比率をみると、レバノンやチュニジア、ヨルダンといった国々で、穀物自給率が低く、かつロシア・ウクライナ産への輸入依存度が高い。アフリカや中東諸国では、気候やインフラの問題から、国内生産による穀物供給が十分でない。加えて、ロシアやウクライナに対して地理的な距離が近く、両国を主要な輸入先としてきたため、食糧不足に拍車がかけられた形である。

実際、こうした国々では、情勢悪化後に穀物の調達が困難になっているとみられる。たとえばエジプトやレバノンは、2022年3月以降に小麦の取引規制や、配給制への転換等の対応を余儀なくされた。

食糧不安は複合的な危機の引き金に

食糧不安には、経済、金融、政治等、新興国にとって複合的な危機をもたらすリスクが潜んでいる。

まず経済面においては、食糧不足が国内インフレの引き金となる。特に、調達を輸入に依存する国では、自国通貨が下落した場合に調達価格が一段と膨らむことになる。実際、新興国や低所得国では、2022年入り以降、食品価格を中心としたインフレ加速が続いている。新興国や低所得国においては、家計消費に占める食品の割合が高い傾向にある。そのため、食糧価格の高騰により家計が圧迫されやすい。

次に金融面においては、輸入価格の膨張が外貨不足をもたらすおそれがある。食糧調達を輸入に依存する場合、価格高騰によって多額の外貨が必要となる。主要な新興国は、外貨準備を潤沢に積み上げている。一方、その他の低所得国や途上国では、外貨不足体質の国が多い。こうした対外金融面で脆弱な国では、輸入額の膨張により外貨不足が一段と悪化し、対外債務の支払いに支障をきたす可能性も考えられる。また、外貨不足が進めば、食糧以外の財輸入も滞り、さらなる供給不安とインフレを招きかねない。

食糧不足を起因とした経済・金融面の混乱は、各国の政治情勢に対する不安定化にもつながり得る。新興国のなかには、慢性的な不況や貧困等を背景に、政情が不安定な国が多い。こうした国々では、食糧不足やそれに起因するインフレが、政情不安定化の引き金となるおそれがある。

その代表例として挙げられるのが、2010年に生じた中東・北アフリカでの大規模な民主化運動、「アラブの春」である。チュニジアで生じた反政府デモが中東・北アフリカ地域へと広がり、複数の国で政権交代や憲法改正へとつながった。先行研究等によれば、「アラブの春」発生の背景には、慢性的な不況のなかで食糧価格が高騰し、国民の生活苦や政府への不満が高まったことがあると指摘されている。今次局面においても、食糧価格の高騰や調達難をきっかけとした、反政府活動等の活発化が懸念される。

新興国における複合的な危機の懸念は、一部で現実のものとなりつつある。2022年には、外貨不足と食糧価格高騰に苦しむエジプトやスリランカが、通貨切り下げ、IMFによる金融支援の申請等に踏み切った。スリランカでは大規模な反政府デモが生じ、政治的な混乱も深刻化している。

新興国で燻る新たな資源供給不安定化の火種

新興国における政情不安のリスクは、各国のみにとどまるものではない。資源産出国の不安定化が、新たな資源価格高騰の波となり、グローバルなリスクへと発展する可能性がある。

鉱物資源の産出量を地域別にみると、新興国や低所得・発展途上国の多くが主要な生産地となっている。なかでも、銅、コバルトについては、中東やアフリカ、中南米への依存度が高い。これらの資源産出国で政情が不安定化すれば、供給能力の低下が資源価格の上昇につながる可能性がある。

また、左派政権の広がりと、資源ナショナリズムの高まりにも目が離せない。景気低迷や貧困、格差問題に苦しむ国では、国政選挙などを契機に、生活不安が左傾化の原動力となり得る。左派政権においては、社会保障の拡充など、拡張的な財政政策をとる傾向がある。その資金源とすることを目的に、資源部門への課税強化や外国企業による資源開発の制限等、「資源ナショナリズム」への傾斜を強めるリスクがある。

実際に左傾化が進んでいるのが、中南米だ。2018年のメキシコをはじめ、アルゼンチン、チリ、ペルー、コロンビアで左派政権が相次いで誕生した。メキシコではリチウムの国有化に向けて鉱業法が改正されたほか、チリでは鉱山会社への増税等の動きが強まっており、今後の動向に注視が必要だ。

図1　新興国や低所得国、発展途上国は政情が不安定な傾向

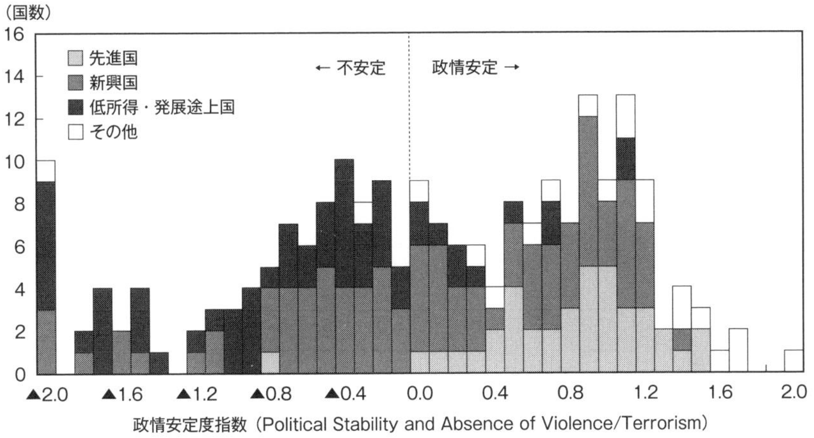

（注）政情安定度指数は、世界銀行が発表しているガバナンス指標の一つ。▲2.5～＋2.5の値を取り、値が正の方向に大きいほど政情が安定、負の方向に大きいほど不安定であることを示す
先進国、新興国、低所得・発展途上国の区分はIMFによる
（資料）世界銀行、IMFより、みずほリサーチ&テクノロジーズ作成

図2　鉱物資源の中には新興国や低所得国が生産を担うものも

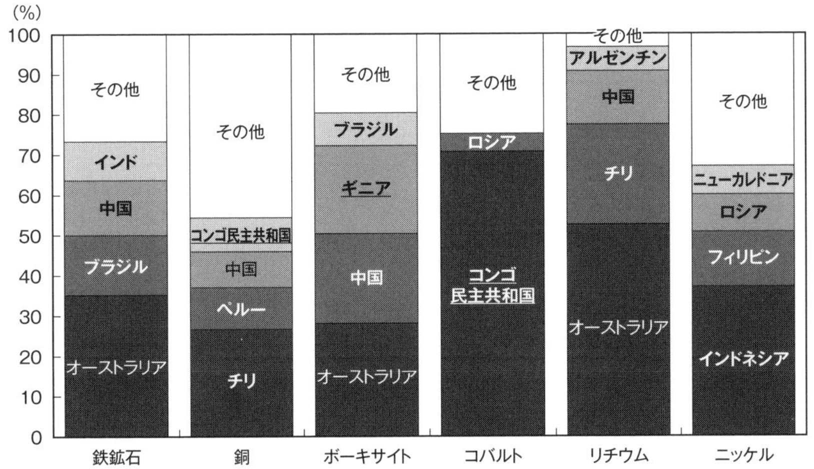

（注）各鉱物資源の生産における各国のシェア
図中太字は新興国、太字下線は低所得・発展途上国を示す。新興国、低所得・発展途上国の区分はIMFによる
（資料）USGS、IMFより、みずほリサーチ&テクノロジーズ作成

COLUMN

気になる経済統計データ（その2）

政治安定度指数

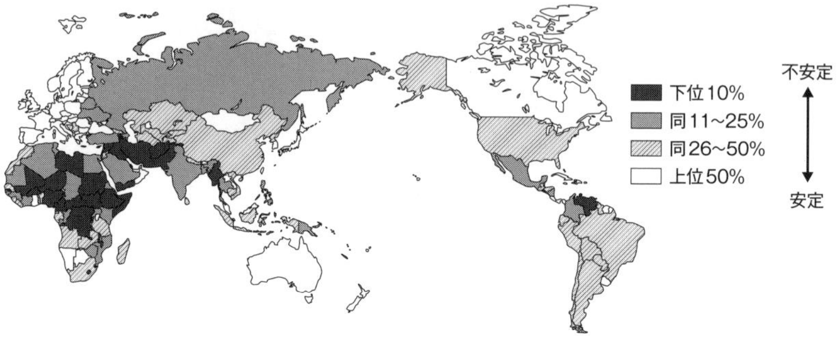

（注）データは2020年
（資料）世界銀行より、みずほリサーチ&テクノロジーズ作成

◆世界銀行が毎年公表するガバナンス指数は6つの分野で構成され、そのうちの一つが上図の「政治安定度・暴力やテロの不在」である。政治不安や、政治的に動機づけられた暴力やテロの可能性を表す指標だ。実際のデータは国別に▲2.5（最も不安定）から＋2.5（最も安定）までの値を取るが、上図では値に基づいて各国を4つに分類し、不安定なグループを濃い色で塗り分けている。

◆特に政治が不安定な下位10%の国は、アフリカと中東に集中する。具体的には、シリア、アフガニスタン、イエメンといった紛争の多い国々だ。アジアからは、軍事クーデターのあったミャンマーが含まれている。これに続く下位11～25%の不安定国には、トルコやインド、メキシコ、フィリピン、タイなど、日本企業との関わりが深い国が含まれるので要注意だ。

◆これらの国では低所得者が多く、ウクライナ危機後の燃料や食料の価格高騰で特に打撃を受けている。そもそも政情が不安だったところに、経済的な打撃が加わっていることで、市民による反政府運動の活発化が懸念される。

第3章 金融・マーケットがわかる10の論点

21　日本株
22　米国株
23　国内金融政策
24　米国金融政策
25　欧州金融政策
26　国内長期金利
27　米国長期金利
28　為替
29　不動産
30　商品市況

21 日本株

2023年は堅調な推移を想定

2022年の日本株市場

2022年の日本株市場は、1月5日に日経平均が29,332円、TOPIXが2,039ポイントと年初来のピークをつけた後、3月上旬にかけて軟調に推移した。

日本株が下落した要因の一つは、米国におけるインフレ懸念の高まりやFRBによる利上げ積極化姿勢が明確になったことを背景に米国長期金利が上昇したことだ。米長期金利上昇の影響を受けやすいハイテク株を中心に米国株が大幅に下落し、これに連動する形で日本株も軟調に推移した。また、2月に入り、ロシアがウクライナ侵攻を開始したことで、地政学リスクに対して警戒感が高まったことも、日本株の下落要因となった。

結果として、3月には、日経平均が24,718円まで、TOPIXが1,759ポイントまで下落し、2022年の安値を記録した。

その後の日本株は、3月後半に一旦は上昇に転じたものの、4月以降、日経平均で、26,000～28,000円といった狭いレンジでもみ合う展開となった。FRBの利上げペースの加速や米国経済の先行きに対する警戒感等から米国株が軟調に推移するといったマイナス材料があったこと、第6波を経てコロナ禍が一旦は落ち着きを見せたことや円安・ドル高などのプラス材料が拮抗したためである。

ただし、本稿執筆時（2022年8月）では、米国株が上昇に転じたことで、日本株も上昇傾向に転じ、日経平均で28,000円後半の水準で推移している。

なお、米国株下落局面においては、日本株も連動する形で軟調に推移する局面も多かったものの、その調整幅は限定的なものとなっている。たとえば、米国株を代表する株価指数であるS&P 500は1月～6月の期間で、▲21

図1　日本株は軟調に推移後にもみ合う展開

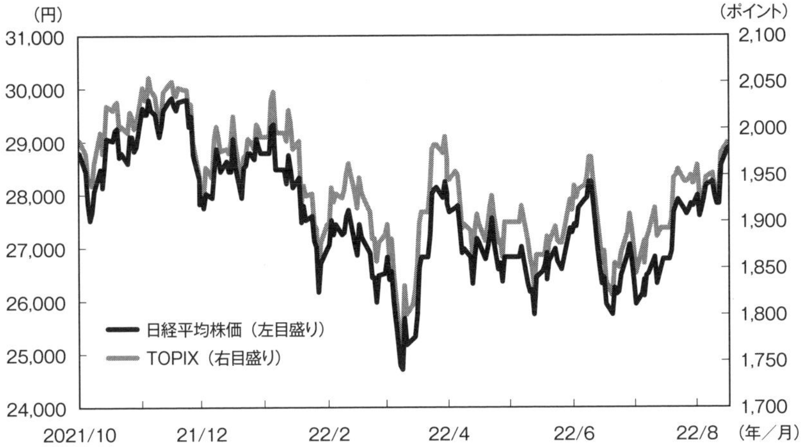

（資料）Refinitivより、みずほリサーチ＆テクノロジーズ作成

％と大幅に下落した。一方で、日本株については、割安感があったこと、円安・ドル高が進行したことなど株価を下支えする材料があったことから、同期間での下落率は、日経平均で▲8％、TOPIXで▲6％にとどまっている。

2022年度以降の日本企業の企業業績の行方

株価に大きな影響を与える日本企業の業績については、米国経済の先行きなどの不安材料があるものの、堅調な業績を維持していくものと考える。

2021年度決算発表の際に、会社側から公表された2022年度利益予想はやや保守的なものであった。しかしながら、2022年度第1四半期決算は、傘下の投資ファンドにおいて大規模損失を計上した大手通信会社グループの影響を除けば、良好なものであり、円安・ドル高が大きく寄与する形で、最終損益が前年同期比で9％増となった。為替レートなど、日本企業の経営環境にポジティブな材料が多いことを考えれば、2022年度については、保守的な会社側予想は上方修正されていくことになるだろう。

先行きについても、アナリストによる業績予想をみれば、企業業績は堅調に推移することが想定されている。2023年度、2024年度のアナリスト最終利益予想は、米国経済の先行きについての不安はあるものの、それぞれ前年比で6%、8%増となり、過去最高益を更新していく予想となっている。みずほリサーチ&テクノロジーズでは、米国経済について、2023年半ばの一時的な景気後退を想定している。一方で、日本経済については、その影響が軽微と考えており、アナリスト予想並みの最終利益は十分に達成可能なものと考えている。

2023年の日本株は堅調に推移することを想定

日本株の先行きについては、一時的には、米国株に連動して軟調に推移する局面があるだろう。米国株は、FRBの更なる利上げを背景に米国長期金利が上昇する可能性があり、これがマイナス材料となる。加えて、景気後退懸念などもマイナス材料となる。米国株の下落局面においては、日本株も連動する傾向があり、日本株も米国株に連動して下落する可能性は高い。

もっとも、2023年を通じてみた場合には、日本株が堅調に推移することを想定している。株価に大きな影響を与える日本企業の業績について、前述のように、米国経済の影響を受けながらも、先行き、底堅い推移をする可能性が高いと考えているためである。

また、株価を日本株の予想一株当たり利益（EPS）で割った指標、すなわち、株価収益率（PER）でみた場合、バリュエーション面で割安感が一層高まっていることも日本株が堅調に推移すると考える要因である。

執筆時点でのPERは、12倍台と歴史的にも低い水準となっている。2010年以降、PERが12倍を下回る期間が長期間継続したケース（図2の灰色で網掛けした期間）は、EPSの減少を伴うものであった。よって、企業業績が堅調に推移するなかで、米国株に連動する形で日本株が下落し、結果として、PERが12倍を下回ったとしても、それは短期間に終わる可能性が高い。その後は、PERの回復及び堅調な企業業績というサポート材料を受け、日本株は堅調に推移するだろう。

また、米国と比較して、日本はコロナ禍からの回復に出遅れ感がある。8月時点では、第7波の影響からコロナ感染者数も増加しているが、落ち着きを取り戻すことで、こちらも株価のサポート材料となりそうだ。

図2 日本株予想EPSとPERの推移

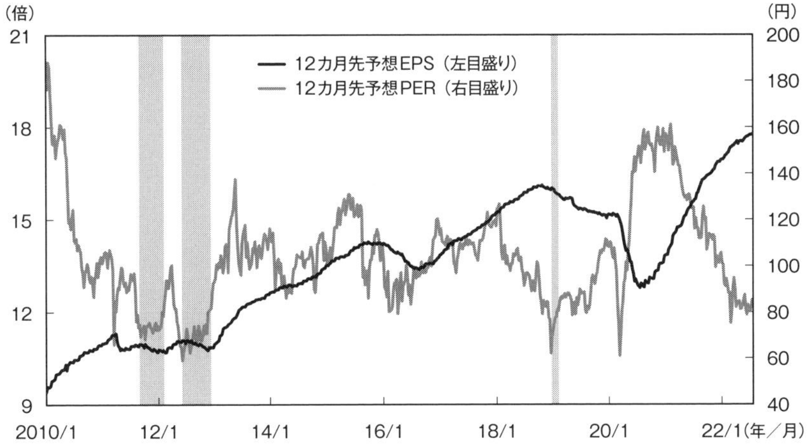

（資料）Refinitivより、みずほリサーチ&テクノロジーズ作成

リスク要因と日本株市場の課題

最大のリスク要因は、米国の景気後退が長期化してしまうことである。この場合、米国株は大幅に下落し、日本株も連動する形で大幅に下落する可能性がある。また、日本企業の先行きの業績も想定以上に悪化する蓋然性があり、業績面からも日本株の下落要因となる。

日本株固有の課題としては、日本企業のガバナンスへの評価や収益性が国際的に見劣りする現状が挙げられる。2022年4月より東京証券取引所は「プライム市場」等の新市場区分を導入し、上場維持基準等を厳格化することで、日本企業のガバナンス改革等を後押ししている。しかしながら、現状、その評価は芳しいものではない。

また、コロナショック後、日本企業は全体として過去最高益を更新していく状況であるが、収益性、たとえば、株主資本利益率（ROE）でみた場合、日本のROEは約9％と、米国の20％超と比較して劣後している。

こうした現状に改善が見られない場合、外国人投資家が日本株への投資を回避してしまう可能性があることにも留意が必要であろう。

22 米国株

今後も軟調な展開。回復過程入りは2023年後半に

2022年に入り米株式市場は大幅に下落

米国株式市場は、2022年1月初旬に、ダウ平均が36,800ドル、S&P 500が4,797ポイントと米国株を代表する2つの株価指数が過去最高値を更新した。しかしながら、その後は、6月中旬まで、大幅に下落する展開となった。

米国株が大幅に下落した要因は、2022年に入り、米国においてインフレ懸念が高まり、米連邦準備制度理事会（FRB）による利上げ積極化姿勢が明確になったことだ。利上げ積極化が明確になったことで、米国長期金利が上昇、米長期金利上昇の影響を受けやすいハイテク株を中心に米国株が大幅に下落した。また、2月に入り、地政学リスクも意識されることとなった。ロシアによるウクライナ侵攻への懸念の高まりと実際に侵攻が開始され投資家によるリスクオフの動きが鮮明となったことが、米国株式市場の下落につながった。

3月は、ウクライナ情勢がやや膠着状態に入ったことで地政学リスクに対する懸念が一時的ながらも後退したことなどから、一旦は反発する場面もあった。しかしながら、5月以降はFRBによる利上げペースが加速化するなか、米国経済の先行きに対する不安が台頭した。また、この時期、一部米国小売セクター企業の業績見通しが下方修正されたことを契機に、米企業全体の企業業績に対して警戒感が高まり、再度、下落に転じることとなった。

結果として、6月中旬に、ダウ平均は29,889ドル、S&Pは3,667ポイントまで下落し、2022年の最安値をつけた。なお、ダウ平均、S&P 500の1～6月の下落率は、それぞれ、▲15％、▲21％となったが、ハイテク株が多く含まれるナスダック総合指数は、米国株式市場でハイテク株を中心に大幅下

図1　米国株の推移

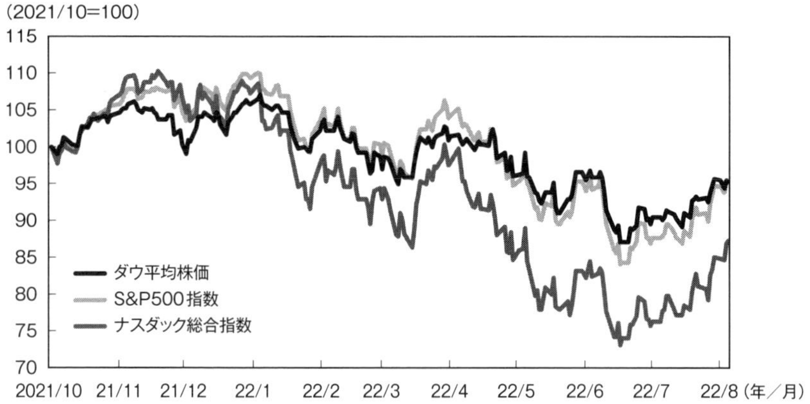

（資料）Refinitivより、みずほリサーチ＆テクノロジーズ作成

落した影響が大きく、▲30％とより大幅な下落率を記録している。

なお、7月以降は、米国長期金利が落ち着きを取り戻し、低下傾向に転じたこと、米国企業の4－6月期決算が良好であったことなどから、本稿執筆時点（2022年8月）では、一旦は反発している状況だ。

割高感は解消されたものの、更なる金利上昇とPER低下の可能性

米国株の先行きを考える上で、重要な指標の一つが株価収益率（PER）である。2021年末時点で、米国株のPERは20倍を超える状況にあった。このようにPERでみた場合、バリュエーション面でやや割高な水準となっていたことも、2022年前半の大幅な下落の要因の一つとなっていた。もっとも、本稿執筆時点（2022年8月）での米国株のPERは、17倍台となっており、米国株の割高感は解消傾向にある。

このように、米国株の割高感は解消傾向にあるものの、米国株は2023年にかけても軟調な展開が継続しそうだ。要因の一つは米国長期金利の動向である。一般に長期金利とPERには、負の相関がみられ、長期金利が上昇する際にはPERが低下する。この傾向は米国株全体にも当てはまる。実際、2022年前半は、米国長期金利の上昇とともに、米国株PERが低下、すなわ

ち、米国株が下落している。現在のところ、米国長期金利は落ち着きを取り戻しているものの、今後は、FRBにより市場予想を上回る利上げが実行される可能性が高いと考えており、米国長期金利が上昇する可能性がある。結果として、米国株のPERは低下し、これが、米国株にとってマイナス要因になる。

景気後退懸念と企業業績の先行き

米国株のPER以外にも、米国株の先行きに対してマイナス材料となりえるのが、米国企業の企業収益である。ここでは、企業の最終利益を発行済み株式数で割った一株当たり利益（EPS）について考える。

本稿執筆時点で、アナリストの予想EPSをみると、2022年、2023年の米国株全体の予想EPSは、それぞれ、前年比で＋9.7％、＋7.6％と予想されている。足元、米国経済の先行きに対する警戒感が台頭しており、アナリスト予想EPSもそれを織り込む形で低下傾向にある。たとえば、6月末時点での、2022年、2023年のアナリスト予想EPSは、それぞれ、前年比で11.0％、＋9.3％であった。6月末時点と比較すれば、現時点のアナリスト予想EPSは、それぞれ1.3％ポイント、1.7％ポイント下方修正されている。

しかしながら、アナリスト予想は依然としてやや楽観的な予想を維持しているものと考えている。米国経済が短期的な減速にとどまるのであれば、アナリスト予想並みのEPS成長率を維持する可能性もあろう。一方で、米国経済が明確に後退する場合には、EPSが減少に転じる可能性が高い。みずほリサーチ＆テクノロジーズでは、2023年半ばに米国経済が後退すると考えており2023年を中心に、アナリスト予想EPSは下方修正されていくものと考える。

その結果、米国株は、PER及び企業業績の影響から、特に2023年前半にかけて、底値圏で推移する展開となるだろう。また、米国株が回復過程に入るのは、米国経済の回復が見え始める2023年後半になるものと考える。

米国経済の不確実性、FRBの金融政策が米国株のリスク要因に

米国経済の先行きについては、市場での見方が大きく異なっている。株式

図2　2022年度、2023年度アナリスト予想EPS

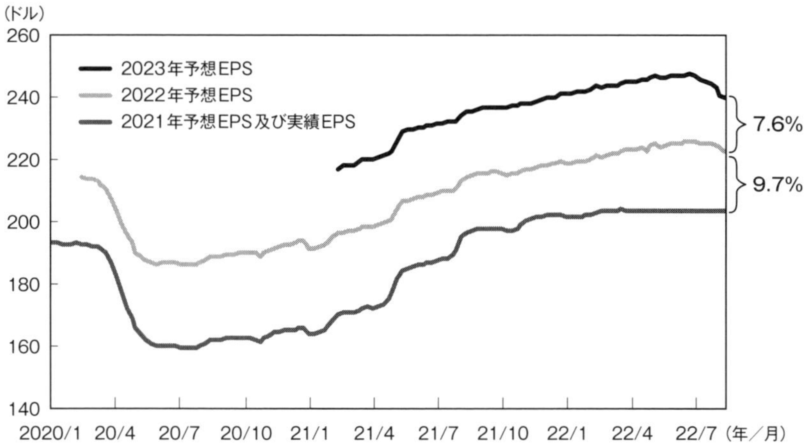

（資料）Refinitivより、みずほリサーチ&テクノロジーズ作成

市場では、景気後退に陥らないとの見方、仮に、景気後退となったとしても、その影響は比較的に軽微なものとの見方がある。これが、アナリスト予想の下方修正幅が限定的な理由であり、また、足元の株式市場の反発の要因となっている。一方で、米国債券市場では、景気後退に陥るとの見方が多く、これが米国長期金利の低下につながっている。

このように米国経済の先行きに対する見方は大きく異なり、これが米国株の先行きについてのリスクとなる。みずほリサーチ&テクノロジーズの想定と異なり、景気後退の影響が軽微なものとなれば、アナリスト予想並みのEPS増加が達成できる。その結果、2023年にかけて、米国株が堅調に推移する可能性がある。

また、FRBにより大幅な利上げが行われない場合、米国長期金利がそれほど上昇しない可能性もあろう。この場合、バリュエーションの面から、高めのPERが許容されることとなり、米国株にとってプラス材料となる。

米国経済の先行きに関する不確実性は非常に高い。また、FRBの金融政策も同様だ。これらの動向は、米国株に大きな影響を与えるため、米国株が上昇・下落、双方向に大きく変動するリスクにも留意が必要だ。

23 国内金融政策

新総裁のもと緩和の持続性高める政策運営に

2022年は長短金利操作付き量的・質的金融緩和政策が継続

2022年はグローバルにインフレが高進し、米連邦準備制度理事会（FRB）や欧州中央銀行（ECB）等の主要な海外の中央銀行はインフレを抑制する姿勢を明確にし、利上げを進めた。日本でもエネルギー価格の上昇を主因に消費者物価指数（除く生鮮食品、以下同様）の前年比が、日本銀行および日本政府が掲げる物価安定目標2％を超えたことから、日銀も海外中銀と同様に金融緩和の縮小や利上げ等の何らかの政策変更を行うのではないかとの観測が一部の市場参加者の間で高まった。また、米国の利上げの影響で日米金利差が拡大して円安が進んだことも政策変更への期待を高めた。

インフレ懸念を受けた海外金利の上昇や日銀の政策変更観測により日本の長期金利には押し上げ圧力がかかり、2022年2月には日銀がイールドカーブ・コントロール（YCC）のもとで定めている、長期金利の許容変動幅の上限0.25％近くまで上昇した。そこで日銀は許容変動幅を超える金利上昇を抑えるため、日銀が指定した利回り（0.25％）で無制限に国債を買い入れる指値オペの実施を約3年半ぶりに通知した。また、同年4月にかけては連続指値オペや臨時の買い入れオペを実施したほか、国債買い入れ（通常オペ）計画を増額するなど、現行の金融緩和の枠組み継続の強い姿勢を示した。しかし、政策変更観測は燻り続け、指値オペ実施の有無から日銀の政策変更の意図を推し量ろうとする動きが市場に生じたことから、4月の金融政策決定会合では憶測防止のために、明らかに応札が見込まれない場合を除き、指値オペを毎営業日実施するとの、運用を明確化するに至った。

さらに6月の日銀決定会合前には海外投資家を中心に日銀の政策変更観測

図1　2022年6月の指値オペ落札額は高水準に

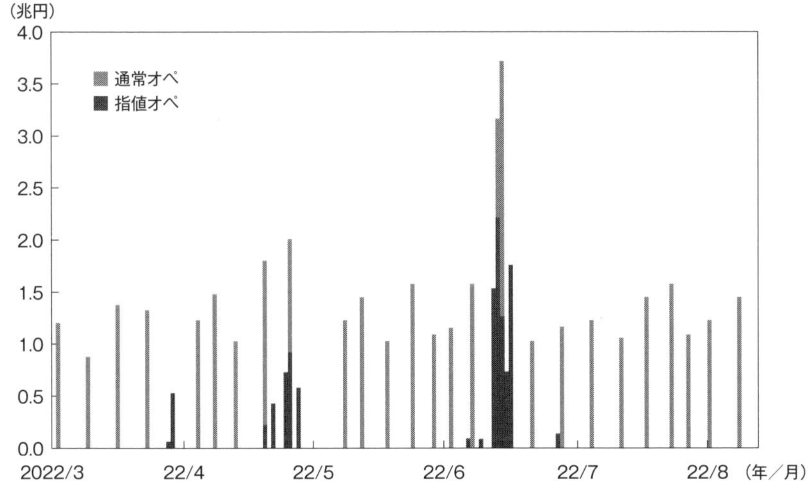

（資料）日本銀行より、みずほリサーチ＆テクノロジーズ作成

表1　日銀の物価上昇率見通しは2023年度以降物価目標を下回る

	実質GDP	消費者物価指数（除く生鮮食品）	（参考）消費者物価指数（除く生鮮食品・エネルギー）
2022年度	+2.2～+2.5 （+2.4）	+2.2～+2.4 （+2.3）	+1.2～+1.4 （+1.3）
4月時点の見通し	+2.6～+3.0 （+2.9）	+1.8～+2.0 （+1.9）	+0.8～+1.0 （+0.9）
2023年度	+1.7～+2.1 （+2.0）	+1.2～+1.5 （+1.4）	+1.2～+1.4 （+1.4）
4月時点の見通し	+1.5～+2.1 （+1.9）	+0.9～+1.3 （+1.1）	+1.1～+1.3 （+1.2）
2024年度	+1.1～+1.5 （+1.3）	+1.1～+1.5 （+1.3）	+1.4～+1.7 （+1.5）
4月時点の見通し	+1.1～+1.3 （+1.1）	+1.0～+1.3 （+1.1）	+1.2～+1.5 （+1.5）

（注）2022年7月展望レポートにおける公表値。対前年度比％、（　）内は政策委員見通しの中央値
（資料）日本銀行より、みずほリサーチ＆テクノロジーズ作成

が一層強まり、一時は許容変動幅の上限を超える金利で取り引きされた。日銀は指値オペでこれに対抗した結果、決定会合前の1週間で指値オペ落札額は7.5兆円、6月の国債買い入れ総額は約16兆円にのぼった（図1）。

2％物価目標の安定的な達成は依然として遠い

日銀が一貫して大規模緩和の継続姿勢を堅持する理由は、2013年に導入した物価目標2％を安定的に達成する見込みが依然として立っていないためだ。

日銀が2022年7月に発表した経済・金融情勢の展望（展望レポート）において、2022年度の物価上昇率見通し（日銀政策委員の大勢見通し）は、エネルギーや食料品、耐久消費財等の価格上昇を反映し、2％台前半となっている。一方、2023年度、2024年度は資源価格が落ち着いていくにつれて、1％台前半まで低下する見通しが示されており（表1）、2022年度の物価上昇は一時的との評価がなされている。日銀の目指す物価安定目標の持続的な実現は、このような一時的なものではなく、賃金の上昇を伴う形での物価上昇である。日銀は強力な金融緩和を粘り強く続けることで消費・投資需要を活性化し、企業収益の増加や労働需給の改善を促そうとしている。その結果として、企業の価格・賃金設定行動や労使間の賃金交渉の在り方が変化し、賃金上昇が進み、それとともに物価が持続的に上昇していく好循環の形成を目指している。

その点で、欧米経済と比較すると、日本経済はコロナ禍からの回復ペースが緩慢であり、消費の戻りは相対的に遅い状況だ。また、資源価格上昇も消費の下押し要因になっている。こうした状況下で日銀は、拙速に利上げを行った結果、先行きの景気後退やデフレを招くことを懸念していると考えられる。

2023年にかけては欧米経済の低迷も、日本経済の回復に冷や水を浴びせることになりそうだ。みずほリサーチ＆テクノロジーズの見通しでは、2023年の世界経済は、利上げの効果等により米・欧で景気後退が予想されることから大幅な減速を見込んでいる。2023年の日本経済は遅れていたコロナ禍からの回復が訪れる見通しではあるものの、世界経済の鈍化による下押しの影響を少なからず受けるものと考えられる。こうした環境も日銀の金融緩和継続を後押しする材料になりそうだ。

新総裁は金融緩和の持続性を高める政策運営が求められる

2023年4月に黒田日銀総裁が2期目（1期は5年）の任期満了を迎える。黒田総裁のもとでの10年間は、2016年1月のマイナス金利政策の導入や、同年9月のYCC導入、2021年3月の許容変動幅の拡大（±0.25％）等YCCの微修正を経て、大規模金融緩和が粘り強く継続された。これにより金融環境の改善や企業収益の改善等につながり、物価が持続的に下落する状態ではなくなったと言える。一方で、2％の物価安定目標の実現には至らなかった。

2022年、2023年も金融緩和からの転換の環境が整う「出口」の兆しは見えそうにない。したがって、2023年4月の次期総裁就任以降も、当面は現行の金融緩和の枠組みがおおむね継続されるものと考えている。今後の日銀の金融政策の方向性を占う目安として次期総裁の人選に注目が集まっている。日銀総裁は衆参両議院の同意を得て内閣により任命されるため、2022年8月の第2次岸田内閣の改造もそういった観点で注目されたが、現行金融緩和を支持する路線を大きく変更するような動きが見られなかったことから、次期総裁に誰が任命されても黒田総裁が進めてきた路線を継承するものとみられる。

ただし、2022年のグローバルインフレ高進を受けた海外金利の上昇や、円安急進で10年債利回りに強い上昇圧力がかかった局面では、YCCが抱えるいくつかの副作用が浮き彫りとなってしまったのは事実である。第一に、円債の金利を低く抑えたことで内外金利差が拡大し円安を増幅した点、第二に、日銀の国債大量買入れにより国債金利の変動が小さくなり、債券市場における流動性が低下した点、第三に、YCCはイールドカーブ全体の低位安定を目的としているものの、金利操作のターゲットではない中期・超長期国債が売られやすくなってしまった点等が挙げられる。そのため、今後も金融緩和を大枠として継続するとしても、政策の持続性がより重要となっていくことから、政策の微修正が行われる可能性は排除できない。その一方で、YCCの許容変動幅の拡大や年限の短期化、YCCの撤廃といった微修正は、「利上げ」と市場に受け取られる可能性が高い。長期金利の急激な上昇を招くことのないよう、海外・日本の経済環境の見極めや市場での過度な憶測の防止といった難しい政策運営が次期総裁には期待されている。

24 米国金融政策

FRBは利上げ打ち止め、物価安定は先送り

物価高と引き締めでゼロ成長、利上げ打ち止めで物価安定は先送り

米景気をめぐる論点は「景気後退入りするのかどうか」ではなく、「どれほどの落ち込みになるのか」「景気後退はいつまで続くのか」に移っている。物価高と引き締めによって米国経済はほぼゼロ成長となり、失業率は4％台後半まで上昇するだろう。利上げが打ち止めとなることで、比較的浅く、短い景気後退にとどまる。しかしその分、インフレ率の低下は鈍く、物価安定の回復は先送りとなる。

FRB（米連邦準備制度理事会）は悪夢を見ている気分に違いない。予想を超える物価高に直面し、前例のない急激な引き締めを進めてきたが、一方では物価安定を回復する目途は立たず、他方では景気後退の影が濃くなっている。

FRBは利上げを開始する前の2022年2月から、通常の3倍である0.75％の利上げに踏み込んだ7月までのわずか5カ月で、政策金利であるFF（フェデラルファンド）金利を2.25％引き上げた。短期間でこれだけの利上げ幅は、同じく高インフレに苦しんだ1980年代初頭でさえ例がない。

急激な引き締めの直撃を受けたのが住宅市場である。住宅ローンの借入金利が急上昇し、住宅販売・着工ともに大幅に落ち込んでいる。住宅市場の調整は、住宅購入に付随する家具や家電等の消費悪化に波及し、米景気全体を押し下げていく。

経験則に従えば、米国経済は景気後退が避けられない。米調査会社コンファレンス・ボードが発表する景気先行指数は、すでに2022年初にピークをつけている。統計が得られる1959年までさかのぼると、景気先行指数がピークをつけてから9カ月後には、50％の確率で米景気もピークをつけ、翌月

図1　米景気がピークをつける確率（折れ線）は上昇

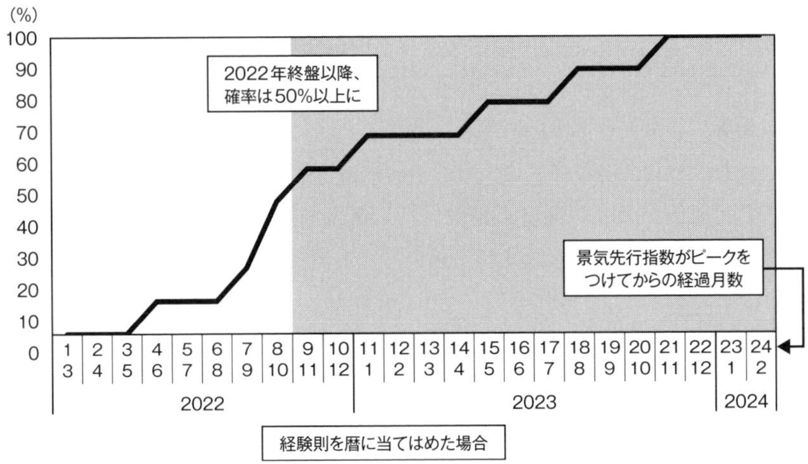

（注）景気後退は景気がピークをつけた翌月から始まる
（資料）コンファレンス・ボードより、みずほリサーチ＆テクノロジーズ作成

からは景気後退に入る（図1）。こうした経験則を実際の暦に当てはめると、2023年半ば頃には2/3以上の確率で景気後退に入っているとみられる。

強すぎる財消費、上昇続けるサービス物価、異常な人手不足

FRBを悩ませるのは、景気後退でも燻り続けるインフレ圧力である。

米国の物価高は、強すぎる需要で押し上げられた財物価と、需要低迷でも上昇を続けるサービス物価との動きに分けられる。日本では輸入に頼る資源や食糧の価格高騰と円安が物価高をもたらしたが、米国では財需要の強さと、極めて強い労働需要による賃金の高い伸び、つまり国内要因が物価高の背景にある。

物価高や引き締めによっても、財需要の大幅な落ち込みは起きにくいとみられる。その要因の1つが、寛大な財政政策の使い残しを含む米家計の金融的な健全さだ。米家計が過剰な借金を負っていないという事は、米国経済が深刻な景気後退に陥ったり、景気後退後の回復過程で低成長が続く事態に陥ったりしないための重要な要因だが、高インフレ鎮静化という点ではむしろ

障害なのである。

トランプ前政権とバイデン政権は、コロナ禍に見舞われた米家計に対し、現金給付や多額の失業給付等さまざまな財政支援を行った。その結果、「巣ごもり消費」という新たな消費行動と相まって、米家計の財消費はコロナ禍前のトレンドを大きく上回る水準に増加した。これはほかの先進国にはみられない米国特有の現象である。日欧の財消費はトレンドを下回ってきた。

感染問題等による労働者不足や材料・部品不足に直面した供給サイドが、財需要の異常かつ急激な高まりに追いつくことはできず、その結果、「モノ」の値段が急騰した。自動車ディーラー等では、メーカー希望小売価格を上回る値段での取引を耳にするほど、米消費者の消費意欲は強い。

さらに財政支援は多額の使い残しとして米家計に蓄積し、景気悪化に対する「保険」機能を果たすとみられる。「保険」がない場合に比べて消費の落ち込みは限定的になり、その分、インフレ圧力の後退も鈍い。

財需要の強さに比例して財物価は上昇したが、サービス物価は需要低迷にもかかわらず上昇を続けている。サービス品目の中で物価が下がったのは航空料金とホテル料金程度にとどまり、これらの物価でさえ、経済活動の再開とともに上昇に転じている。景気後退下でもサービス物価の上昇は続くだろう。

代表例が家賃だ。先に、引き締めの影響で住宅市場は大幅な調整を余儀なくされると述べた。住宅価格と金利の上昇によって、持家需要がなくなったからだ。しかしその需要は借家需要にシフトしただけであり、むしろ家賃を押し上げる方向に働く。

家賃の伸びが大きく減速するには、雇用情勢の大幅な悪化が不可欠だ。しかしFRBが利上げを止めることで、米国の雇用情勢はそれほど悪化しない。失業率は4%台後半に上昇していくとみられるが、4%台後半という水準は深刻な状況ではない。

人手不足感が燻り続ける可能性もある。供給サイドでは中高年労働者の引退が早まったことがある。需要サイドでは、新たなスキルを持つ人材への需要の高まりが指摘できる。コロナ禍によって生まれた新たな消費・就労様式（ニーズ）と、AI（人工知能）等の新たなテクノロジーやサービス（シーズ）を結び付けることができる人材に対する需要だ。

図2　ほぼ一致して動く米国の賃金とサービス物価

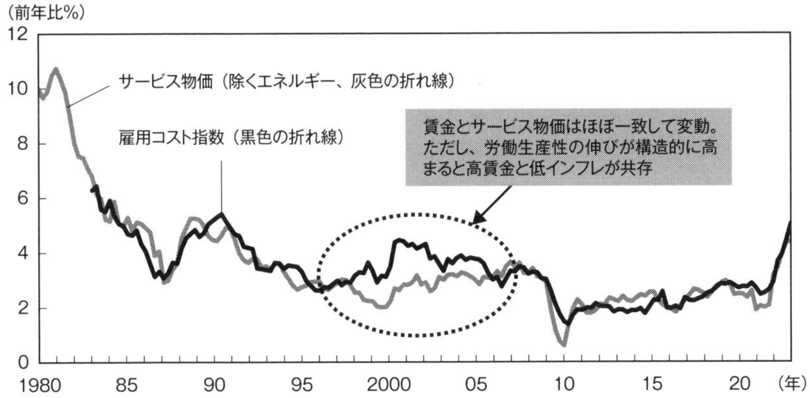

（資料）米国労働省、米国商務省より、みずほリサーチ＆テクノロジーズ作成

景気後退でも雇用情勢が大幅に悪化することにならない以上、賃金の伸びも続く。図2で明らかなように、米国のサービス物価上昇率は、賃金の伸びと一致して動く。米国経済が景気後退に陥るなかでも、賃金の伸びの鈍化は鈍く、その分、インフレ率の低下を抑制するとみられる。

「景気後退で利下げ」という余裕はないFRB

米金融政策と物価高をめぐる不都合な真実がある。「インフレは貨幣的」つまり「物価は金融政策によって決まる」と言われるとおり、引き締めがインフレ率を低下させることは間違いない。しかしその効果は、40年ぶりという物価高からみれば「焼け石に水」だ。「景気後退で利下げ」という余裕は、FRBにはないはずである。

簡単な例をみてみよう。1960年からコロナ禍前までの9回の景気後退を振り返ると、景気がピークをつけてから1年後にインフレ率（コアCPI前年比上昇率）が1%ポイント以上低下したのは1980年、1982年の景気後退だけであり、当時の政策金利は2桁台という衝撃的な高さだった。

現在のFRBにそのような利上げを行う必要はないが、景気後退でも引き締め姿勢を維持する覚悟は必要だろう。

25 欧州金融政策

ECBはインフレと景気を睨んだ難しい政策運営を迫られる

ECBにとっての課題はデフレ阻止からインフレ抑制に

ECBは世界金融危機や欧州債務危機を経た2014年以降、ユーロ圏のインフレ率が目標値である2%を恒常的に下回るなかで、経済がデフレに陥るのを防ぐため、マイナス金利政策や国債等の資産購入プログラム（APP）、金融機関への長期資金供給オペ（TLTRO）等の措置を打ち出し、景気・物価の押上げを図ってきた。さらに、2020年の新型コロナ発生直後には、「パンデミック緊急購入プログラム」（PEPP）を導入し、資産購入規模を一段と拡大した（図1）。

しかし、2021年に入ってからは、コロナ禍に起因するサプライチェーンの混乱や労働参加率の低下等の供給制約を背景にインフレ率が急上昇。さらに、2022年春以降は、ロシアによるウクライナ侵攻に伴うエネルギー価格の上昇も加わり、ユーロ圏の消費者物価指数（HICP）は2022年8月時点で前年比＋9.1%と過去最高の上昇率となっている。ECBにとっての課題は、これまでのデフレ阻止から、インフレの抑制へと一変した。

先行きの金融政策運営は困難なものに

ECBは、2022年7月の政策理事会において、11年振りとなる利上げ（＋50bp）を決定し、マイナス金利政策から脱却した。さらに、その後9月の理事会では、1回の会合としては最大となる＋75bpの利上げに踏み切った（図1）。

上述のとおり、足元のインフレはあくまで、供給制約やウクライナ戦争等の外的ショックが主因であり、需要の過熱によるものではない。むしろ、イ

図1　ECBの資産残高と政策金利

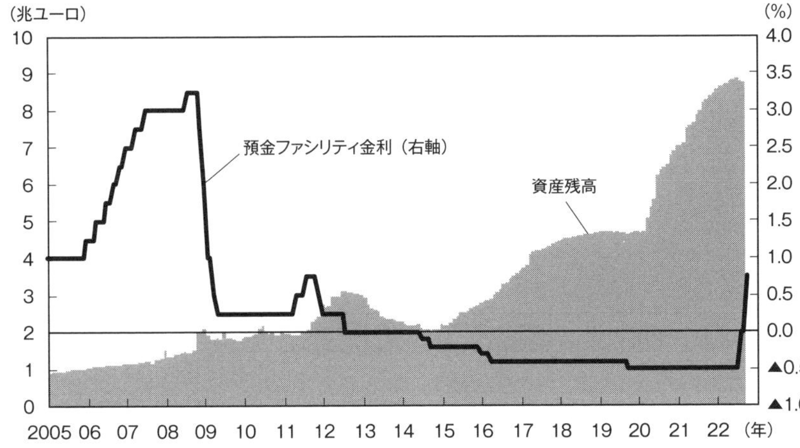

（資料）ECBより、みずほリサーチ&テクノロジーズ作成

ンフレによる家計消費の悪化を受け、需要の方は弱含んでいる。それでもECBが利上げに踏み切ったのは、物価の上昇が家計・企業のインフレ期待や賃金の上昇へと波及するのを防ぐためだ。インフレ期待や賃金が上昇すれば、企業の価格転嫁行動を通じて物価が一段と押上げられ、それがさらなる賃金上昇をもたらす状況に陥りかねない。こうした「物価・賃金スパイラル」を回避するために、ECBは金融引き締め姿勢を示し続ける必要がある。

ただし、反面、ECBが利上げを続ければ、すでに弱含んでいる消費に加え、設備投資や住宅投資にも下押し圧力が生じていくことになる。こうした景気への悪影響を甘受してでも、インフレ抑制を優先し利上げを断行していくのか、ECBは非常に難しい政策運営を迫られていくことになるだろう。

「分断化」防止のための新ツールを導入

2022年に入り市場でECBの利上げ観測が高まって以降、イタリアなど財政基盤が脆弱な南欧諸国の国債利回りが上昇し、ドイツ国債利回りとのスプレッドが拡大している（図2）。こうした国債利回りの偏った上昇は、ユーロ圏市場の「分断化」（Fragmentation）と呼ばれ、ユーロ圏各国への金融政策効果の均等な波及を阻害する要因として、ECBは問題視してきた。

こうしたなか、ECBは2022年7月の政策理事会において、「トランスミッション・プロテクション・インスツルメント」(TPI) と呼ばれる新たなツールを導入した。これは、国債利回りが当該国のファンダメンタルズから正当化できないほど上昇しているユーロ加盟国の国債を、ECBが一定の条件のもとで買入れる措置である。同類のツールとしては、欧州債務危機下の2012年に導入されたOMT (Outright Monetary Transactions) があるが、TPIはOMTと比べ実施条件等の面でECBの裁量が大きく、より柔軟な発動が可能になっている点が特徴である。

もっとも、TPIによる国債買入れを受けるためには、当該国がEUの財政ルールを順守していることが条件の一つとなっている。したがって、たとえば、ある国の政府がEUのルールを無視するような拡張財政を志向し、そうした財政悪化懸念で国債利回りが上昇しているような場合は、TPIの適用対象外となる。財政規律を無視するような国の国債をECBが買わないのは理に適っているが、問題は、こうした加盟国での財政不安は、ユーロ安を通じて、ユーロ圏全体の経済にも影響を及ぼし得るということである。特に足元のようにインフレ抑制が課題となっている局面においては、ユーロ安による輸入物価の上昇はECBにとって大きな悩みの種となろう。

気候変動ストレステストを初実施

ECBは2022年7月、欧州の大手行を対象に、気候変動リスクに関する初の本格的なストレステストを実施した。当該ストレステストでは主に、①脱炭素社会への秩序立った移行 (Orderly transition)、②脱炭素の遅延 (Disorderly transition)、③脱炭素への移行無し (Hot house world) の3つのシナリオについて、銀行の与信リスクなどへの影響を評価している。脱炭素への移行が遅れるシナリオ②では、「物理的リスク」(自然災害による物的損害、暑熱による労働生産性低下等) が増大するほか、「移行リスク」(炭素税や法規制による企業利益率の悪化等) もシナリオ①と比べ大きくなる。また、脱炭素に向けた措置が取られず温暖化が進展するシナリオ③では、移行リスクは生じないものの、物理的リスクによる経済への影響は最も大きくなる。

図2　南欧諸国とドイツの国債利回りスプレッド

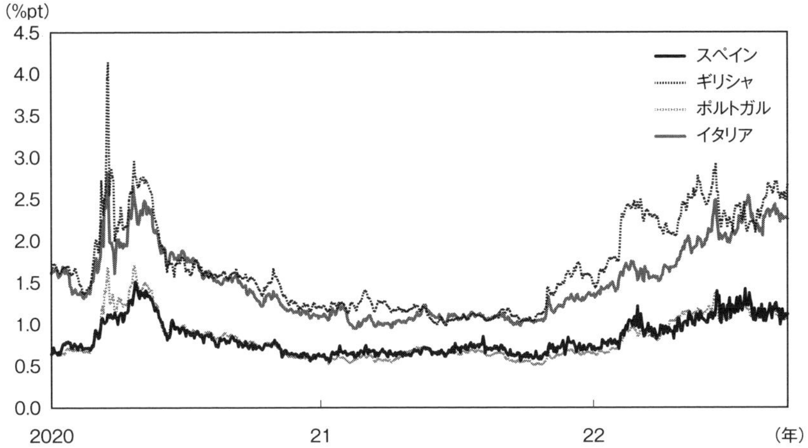

（資料）Refinitivより、みずほリサーチ＆テクノロジーズ作成

シナリオごとの欧州のGDP（2050年時点）を見ると、シナリオ①と比べ、シナリオ②では▲7%、シナリオ③では▲8%低くなるとされている。災害や暑熱によるGDPへの影響は特に、地域では南欧諸国、セクターでは農業や建設業において大きいという。また、銀行の投融資の毀損額（2040～50年）に関するストレステストを見ると、シナリオ①と比べ、シナリオ②や③では1割程度毀損額が上振れる結果となっている。今回のストレステストの結果は、銀行に求められる自己資本の水準に直接影響を与えるものではないが、今後のECBの監督業務において参考情報として利用される。

ECBはストレステストの中で、およそ6割の銀行で気候変動リスクを測るための体制がまだ整っていないと指摘しており、今後、銀行に対し気候リスクの把握に向けたデータ収集や体制構築を促していく方針である。実際のところ、気候変動リスクを定量的に計測する上では、何よりもまずデータの整備が必要だ。たとえば、融資先が抱える洪水などの物理的リスクを測るのにも、その融資先が有する支店や営業所等の住所データが必要になる。気候リスクの把握に向け金融機関は今後、このような従来の業務では収集していなかった情報についても、定例的に把握することが求められていくことになろう。

26 国内長期金利

0.25%を上限にした低金利が続く見通し

10年国債利回りは日本銀行の許容変動幅上限まで上昇

2022年の日本の10年国債利回りは、米国でインフレ率が歴史的な高水準となったことを受けた米長期金利の上昇や、海外投資家を中心とする日本銀行の政策変更観測の高まりを主因に、0.25％まで上昇した（図1）。

2022年初に0.0％台後半で推移していた日本の10年国債利回りは、米国のインフレ懸念を受けた米金利の先高観の高まりや、日銀も金融政策を引き締めに転換するといった政策変更を行うのではないかとの観測の高まりから、2月にかけて2016年1月のマイナス金利導入以前の水準まで上昇した。日銀はイールドカーブ・コントロール（YCC）において10年国債利回りの目標をゼロ％程度とし、許容変動幅を±0.25％としている。そのため、長期金利が上限0.25％付近まで急速に上昇したことで日銀は、2月に約3年半ぶりとなる、10年国債を利回り0.25％で無制限に買い入れる指値オペを通知し、許容変動幅上限を超える金利上昇を抑制する姿勢を示した。ただしこの時は、0.25％は流通利回りを上回る水準であったため、応札・落札はゼロが続いた。日銀の指値オペ通知により市場では許容変動幅の上限が意識されたことから、金利は0.25％を下回る水準で小動きとなった。

3月頃にはウクライナ情勢の緊迫化を受けてリスク回避から「安全資産」とされる国債需要が高まり、金利が一時低下する局面があった。一方で、米インフレ懸念が根強く、金利の低下幅は限定的となった。その後、ウクライナ情勢を受けた市場のリスクオフムードは後退し、米国を中心にインフレ高進が続いたことから、海外の主要中銀が利上げに動き、円金利にはより一層の上昇圧力がかかった。円金利への強い上昇圧力に対し日銀は、臨時の買い

図1　2022年の国内長期金利は2016年以来の高水準に

（注）長期金利＝10年物国債の流通利回り
（資料）Refinitivより、みずほリサーチ&テクノロジーズ作成

図2　海外投資家は日銀の政策修正観測から長期債を大幅売り越し

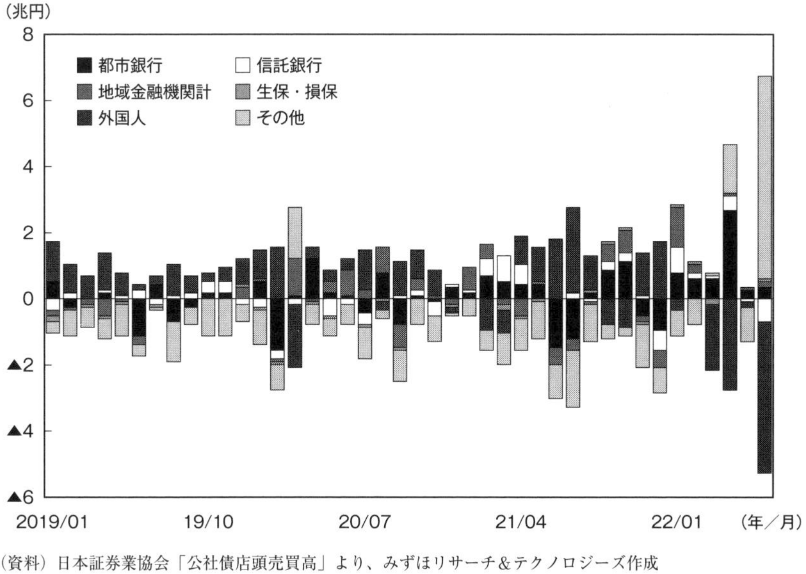

（資料）日本証券業協会「公社債店頭売買高」より、みずほリサーチ&テクノロジーズ作成

入れオペ、国債買い入れ増額等でイールドカーブ全体の低位安定を図る姿勢を示したほか、指値オペの運用を原則毎営業日と明確化するなど、金融緩和の堅持で対抗した。しかし一部の海外投資家の間では日銀の政策変更観測が燻り続け、6月の金融政策決定会合前は、10年国債を中心に大量に売却され(図2)、再び円金利は上昇に転じた。一時は0.25％を超える金利で10年国債が取引され、日銀による指値オペへの応札・落札額は多額となり、6月の日銀の国債買い入れ額は約16兆円と、金融緩和を強力に進めた2014年11月以来の高水準になった。

2022年夏場には、米長期金利の低下を背景に、円金利上昇圧力は一服した。米国の経済成長率が2期連続でマイナスとなるなど、インフレ高進や中央銀行による利上げを受けた景気減速への懸念が台頭し、米長期金利を押し下げた。こうした外部環境の変化や日銀の金融緩和を継続する姿勢を踏まえ、2022年に入ってから日銀の政策変更への期待を背景に会合前になると繰り返し日本国債を売却してきた海外投資家は、買い戻すポジション調整を実施したようだ（図2）。また、海外金利の先高観が徐々にやわらぎ、国内投資家の日本国債に対する需要が底堅く推移していることも、円金利の上昇を抑える要因となっている（本稿執筆時点（2022年8月））。

日銀新総裁後も金融緩和継続。
0.25％を上限にした低金利が続く見通し

では、2023年の日本の長期金利をどうみるべきだろうか。2023年を展望する上で重要な要素の1つとして、2022年に引き続き日本の長期金利に上昇圧力をかけるとみられる米長期金利の動向が挙げられる。みずほリサーチ&テクノロジーズでは米国のインフレ率は2023年に徐々に低下していくものの、そのペースは緩慢にとどまるとみている。また米経済も一時的なマイナス成長にはなるものの、深刻な景気後退には陥らないとみている。そのため米国の金融政策当局は利下げに転じず、米長期金利は3％台半ばと、2022年夏場と比べ高い水準で推移すると考えられる。米長期金利が3％台で推移するのであれば、円金利に上昇圧力がかかりやすく、日銀の許容変動幅の上限である0.25％を試す展開が2023年中もたびたび発生するとみている。

加えて、2023年4月の黒田日銀総裁および2名の副総裁の任期満了が近づくタイミングでは日銀の政策変更への観測が高まりやすいことから、円金利に押し上げ圧力がかかるだろう。ただし、2022年7月に日銀が発表した経済・金融情勢の展望（展望レポート）で示されているように、2022年の消費者物価（除く生鮮食品）上昇率見通し（日銀政策委員の大勢見通し）はエネルギーや食料品、耐久消費財等の価格上昇を反映し、2％台前半となる一方、2023年は資源価格上昇の落ち着きとともに政府・日銀の物価目標2％を下回る1％台前半となる見込みであり、2022年の物価上昇は一時的で需要の拡大が継続するような状況ではないと判断されている。一時的な物価上昇では金融政策の転換は行わない姿勢を日銀はこれまで再三示していることから、国債買い入れによって長期金利の上昇を抑えるとみられる。

さらに、黒田総裁交代後の新総裁のもとでも当面は現行の金融緩和の枠組みがおおむね継続されるものと考えられる。既述のとおり日本の物価上昇率は2023年以降、政府・日銀の物価安定目標2％を下回る可能性が高いほか、2023年の春闘で日銀が物価安定目標につながる目安としている3％強の賃上げが実現される見込みは低い。そのため、日銀は賃金・物価が持続的に上昇する好循環が起きるまでは金融緩和による経済の下支えを続け、円金利が急速に上昇するような動きに対しては低位安定となるようなオペレーションを継続するであろう。

円金利がさらに低下する可能性もゼロではない

以上から、みずほリサーチ＆テクノロジーズは2023年の日本の長期金利について0.25％を上限に、0.15％～0.25％のレンジでの水準が続く見通しとしている。ただし、円金利水準が予想より低下する可能性もゼロではない。仮に米国をはじめとする海外経済が2023年にかけて深刻な景気後退に陥った場合、海外金利の先高観が急速に後退し、円金利に低下圧力がかかる可能性がある。こうした環境下では海外経済の悪化が日本経済の下押し圧力となり、マイナス金利の深掘りなどの追加緩和期待が高まる可能性もある。円金利低下を招く海外経済の深刻な景気後退懸念についても、目配りをしておく必要があるだろう。

27 米国長期金利

2023年にかけて3%台半ばでの推移を予想

米国長期金利は2022年前半に総じて上昇も、足元一進一退での推移

2022年前半の米国長期金利は、総じて上昇傾向を辿った（図1）。インフレ圧力が高まるなか、長期金利は年初から、FRB（米連邦準備制度理事会）による利上げ開始時期の前倒しを本格的に織り込みながら上昇傾向を辿った。実際、FRBは3月15・16日のFOMC（連邦公開市場委員会）において、約2年続いたゼロ金利政策の解除を決定した。同時に、将来の中立金利（2%台半ば）を超える利上げスタンスが示されたことで、長期金利は一段と上昇基調を強めた。さらに、ウクライナ情勢の急速な悪化に伴う原油価格上昇を受けた期待インフレ率の急上昇や、パウエルFRB議長をはじめとしたFRB高官による利上げに積極的な発言も、長期金利の上昇に拍車をかけた。

5月から6月にかけて、長期金利は3%台に乗せる展開となった。5月3・4日のFOMCは0.5ポイントの追加利上げを決定し、今後も0.5ポイントの利上げが続く可能性を強く示唆した。同時に、FRBが保有する資産の縮小（QT）を6月1日から開始することも決定した。FRBの強い金融引き締めスタンスが幅広い年限の国債金利を大きく押し上げるなか、長期金利は一時3%台に上昇した。さらに6月に入ると、各種の経済指標で労働需給のひっ迫やインフレ懸念の高まりが示されたことで、長期金利は一時2011年4月以来の3.5%近傍まで上昇した。もっとも、6月14・15日のFOMCが事前の市場予想どおり、0.75ポイントの利上げを決定した後は、急速な利上げによる景気後退懸念が意識され、長期金利は6月末にかけて3%を下回った。米国のみならず、欧州でも主要中央銀行が利上げに積極的な姿勢を明確にしたこと

図1　長期金利は2022年前半に総じて上昇も、足元一進一退での推移

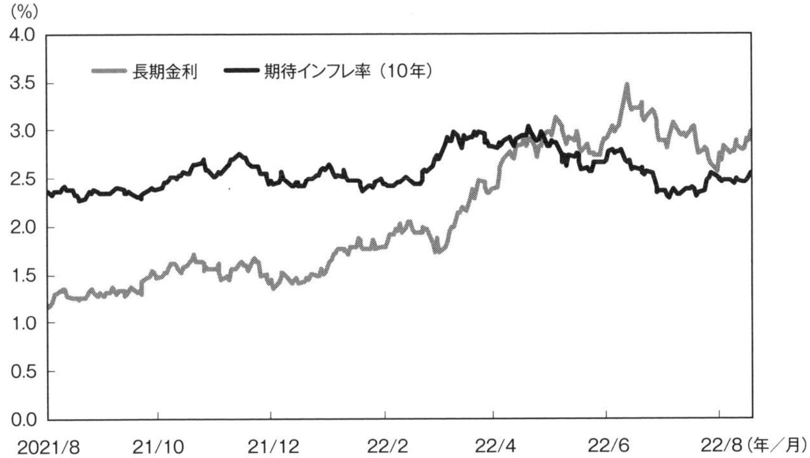

（注）長期金利は米国10年債利回り。期待インフレ率は、ブレーク・イーブン・インフレ率
（資料）Bloombergより、みずほリサーチ&テクノロジーズ作成

で、金融引き締めによる景気減速懸念がより意識される展開となった。

2022年後半以降の長期金利は、2%台後半で一進一退の推移となっている(2022年8月時点)。7月には、米CPI（6月）の伸び加速を受けた利上げ幅拡大観測の高まりを受けて、長期金利が再び上昇する局面もみられたが、米景気の減速を示す経済指標が相次いだことで、長期金利の上昇は限定的にとどまった。景気後退懸念が強まるなか、長期金利は7月末にかけて2.6%台まで急低下した。2会合連続となる0.75ポイントの利上げを決定した7月26・27日のFOMCで、パウエルFRB議長が今後の利上げペースを緩める可能性に言及したことで、金融市場が織り込む将来の利上げ幅が縮小し、長期金利の低下を促す格好となった。8月に入ると、複数のFRB高官が今後もインフレ抑制に向けて利上げを行うと発言したことや、一部の米景気指標が市場予想を上回ったことから、長期金利は再び上昇に転じている。

金融市場は2023年半ばにかけて利上げを織り込む

金融市場におけるFRBの利上げ織り込みの変化は、フェデラルファンド

(FF) 金利先物 (30 Day Federal Funds Futures) のデータで確認できる。FF金利先物は、実効FF金利を原資産とするデリバティブ商品で、シカゴ商品取引所 (CBOT) に上場されている。実効FF金利は、FOMCが公開市場操作をする上での誘導目標であり、FF金利先物には市場参加者が予想する将来の実効FF金利の水準、すなわち先行きの金融政策についての市場の予想が示される。

図2は各限月のFF金利先物をつないだものであるが、これを用いて、市場が織り込む先行きのFFレートの経路を確認しよう (2022年8月時点)。この経路をみると、金融市場は2023年半ばにかけて、3.7%程度まで利上げを織り込んでいることがわかる。そして2023年半ばをピークに、2025年の初め頃にかけて緩やかな利下げが継続し、最終的に3%程度の水準にFFレートが収束していくと予想されているようだ。

2023年の長期金利は3%台半ばでの推移を予想

では、2023年の米国長期金利はどのように推移するだろうか。長期金利を予想する上では、長期金利を取り巻く経済環境、すなわち米国の景気やインフレ、政策金利の先行きをどうみるかが重要である。みずほリサーチ&テクノロジーズでは、米国経済は2023年半ばに短期の景気後退局面に転じ、その後は緩やかに持ち直すとみている。一方、インフレ率は2023年にかけて低下すると予想されるが、その低下ペースは緩慢にとどまると予想される。政策金利は2023年を通じて、市場の予想に比べ高めの4%弱で高止まりする見通しである (2022年8月時点)。

こうした前提のもと、2023年前半の長期金利については、市場予想に比べ高めの政策金利が長期金利の押し上げ要因になるものの、同時に景気後退懸念によって下押し圧力がかかり、長期金利は3%台の半ばから後半の水準で推移するとみられる。

2023年後半以降については、米国経済の緩やかな回復が長期金利の上昇を促すとみられるが、インフレ鈍化に伴う2024年以降の利下げを織り込むかたちで長期金利の上昇が抑制され、3%台半ばに収束していく見通しだ。

総じて、2023年の長期金利は3%台半ばで推移する見込みである。

図2　金融市場は2023年半ばにかけて利上げを織り込む

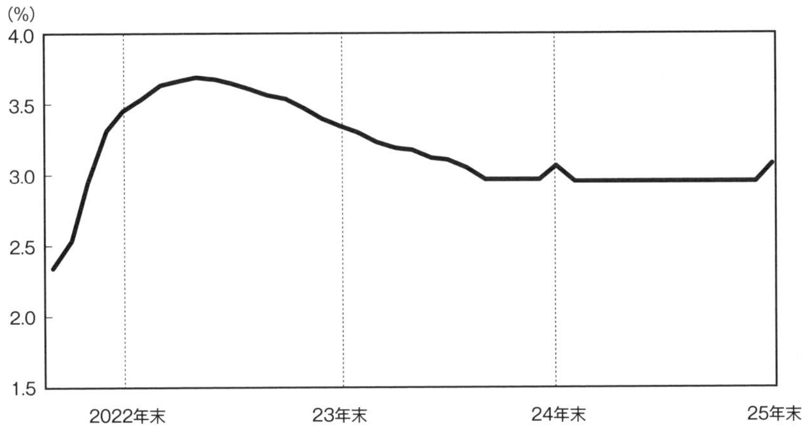

(注) グラフは、各限月のFF金利先物をもとに作成した、市場が予想するFFレートのパス。2022年8月時点
(資料) Bloombergより、みずほリサーチ＆テクノロジーズ作成

インフレ見通しの不確実性が高いなか、長期金利の上振れリスクに留意

先行きの米国長期金利は、グローバルインフレの行方と金融政策の判断に大きく左右される。特に懸念されるリスクは、インフレの高進に伴う長期金利の上振れリスクである。

みずほリサーチ＆テクノロジーズは、FRBの利上げによって、2023年の米国のインフレ率が2％台まで緩やかに低下すると予想している。ただ、利上げ幅が想定よりも小幅にとどまった場合、賃金の上昇ペースが高止まりする可能性がある。また、ウクライナ情勢の悪化などから原油などコモディティ市況が高騰する可能性も否定できない。両ケースとも、米インフレ期待の上振れを通じて、長期金利の上昇圧力を高めるおそれがある。FRBがインフレ期待を鎮静化するべく急激な利上げを断行した場合、米国経済は景気後退とインフレ加速が同時進行するスタグフレーションに陥りかねない。米国長期金利の急上昇は、米国債を保有するグローバル投資家の損失拡大を通じて、国際的な金融危機をも招きかねない。留意が必要だ。

28 為替

ドル円相場は緩やかな円高・ドル安を予想

2022年のドル円相場は、円安・ドル高が急速に進む展開に

2022年のドル円相場は、年初から大幅な円安・ドル高に進み、7月には1998年9月以来の1ドル＝139円台に到達した（図1）。円安・ドル高が急速に進展した背景としては、①金利要因（日米の金利差）、②実需要因（日本の経常収支）、③投機要因（過度な円売り）の3要因が挙げられる。

米国では、インフレ率が40年ぶりの高さとなり、米連邦準備制度理事会（FRB）はインフレ抑制に向けて積極的な利上げ姿勢に転じた。実際、FRBは3月の米連邦公開市場委員会（FOMC）から利上げを開始し、6月と7月には0.75％の大幅な利上げを行った。FRBの積極的な利上げ姿勢を反映して、米長期金利も大幅に上昇した。

一方、日本でも資源価格の上昇を背景にインフレ率が上昇したものの、依然として賃金の回復は鈍く、インフレ目標2％の安定的な実現は困難な状況にある。日銀は、長短金利操作を行うイールドカーブ・コントロール（YCC）の一環として、3月下旬から10年物国債を無制限に買い入れる「連続指値オペ」を実施し、長期金利の上昇に歯止めをかけた。その結果、日米金利差は大きく拡大し、強力な円安・ドル高圧力となった。

経常収支の黒字幅縮小も、円安・ドル高圧力になった。経常収支は、直接投資収益の一部が、所得収支として後からまとめて国内へ還元されることがあるため、ラグを伴ってドル円相場に影響を与えると考えられる。したがって、2022年のドル円相場は、概ね1年前（2021年）の経常収支が影響しているとみられる。

2021年は、コロナ感染拡大からいち早く回復した中国経済や、コロナ禍に

図1　ドル円相場は円安・ドル高が急速に進展

(資料) Bloombergより、みずほリサーチ&テクノロジーズ作成

図2　経常収支の推移

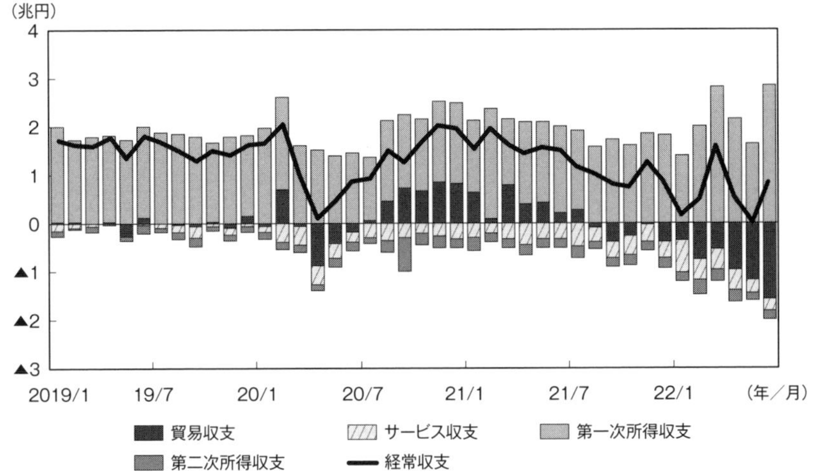

(注) 季節調整値
第一次所得収支＝投資収益で生じる利子や配当金などの収支状況
第二次所得収支＝対価を伴わない資産提供に係る収支状況（政府の無償資金協力など）
(資料) 日本銀行「国際収支統計」より、みずほリサーチ&テクノロジーズ作成

おける先進国での巣ごもり消費による需要回復などを背景に、原油をはじめ資源価格が高騰し、貿易収支が赤字に転じた。サービス収支についても、コロナ禍での厳しい入国制限措置によるインバウンド需要の低迷から、感染拡大前と比べ赤字幅が拡大した。所得収支は引き続き黒字を維持しているものの、貿易収支赤字とサービス収支赤字から経常収支の黒字幅は大きく減少し、2022年の円安要因になったとみられる（図2）。

さらに米国と日本の金融政策の違いに着目した、投機筋による過度な円売りも無視できない。6月、マイナス金利を導入していたスイス中銀が利上げを表明したことをきっかけに、市場では日銀も金融政策を修正するのではないかという観測が高まった。しかし、日銀は金融緩和の継続を表明、米国と日本の金融政策の違いが意識された結果、過度に円が売られたと考えられる。

以上のように2022年のドル円相場は、3要因すべてが円安材料となり、円安・ドル高が急速に進展した。

2023年は緩やかな円高・ドル安を予想

では、2023年以降のドル円相場はどうなるだろうか。以下では、2022年のドル円相場に影響を与えた前述の3要因を基に考えてみよう。

まず金利要因については、円金利から考える。日銀は現行の金融政策を変更できず、YCCのもと、円長期金利は低位で推移するだろう。みずほリサーチ&テクノロジーズでは、日本は今後も雇用・賃金の回復が鈍く、インフレ圧力も弱いことから、2%物価目標の安定的な達成は難しいとみる。そのため、米金利の動向が鍵となる。米国ではFRBによる大幅な金融引き締め政策により、2023年半ばにはその影響を受けて景気後退すると思われる。米長期金利は、景気後退を先に織り込む形で2023年初から低下してくるだろう。日米金利差は縮小し、円高・ドル安圧力が働くとみられる。

次に実需要因に関しては、2023年のドル円相場には2022年の経常収支が影響する。2022年半ばにかけて、貿易収支はロシアのウクライナ侵攻による供給懸念もあり、資源価格高騰から赤字幅を拡げており、経常収支の黒字幅は縮小している（図2）。しかし今後は、インフレ抑制による金融引き締めから欧米を中心に景気減速が見込まれ、需要の減少による資源価格下落から、貿易収支は黒字に改善していくと予想する。サービス収支についても、6月から入国制限が緩和されたため、先行きインバウンド需要の回復により赤字幅は縮小していくとみられる。2022年後半以降、経常収支の黒字幅は再び拡大しよう。

日米金利差の縮小、経常収支の改善から過度な円売りも徐々に剥落するとみられる。みずほリサーチ＆テクノロジーズでは、2023年以降のドル円相場は緩やかな円高・ドル安に転じると予想している。

円高・ドル安に転じるタイミングや変化幅は、幅をもってみる必要あり

もっとも、円高・ドル安に転じるタイミングや変化幅は、幅をもって見る必要があるだろう。注目点は、やはり米国経済がいつ景気後退に入るか、そして景気後退の深度はどうか、という点である。

みずほリサーチ＆テクノロジーズでは、前述で触れたように2023年半ば頃からの景気後退を予想している。本稿執筆時点（2022年8月）では米国雇用が依然としてひっ迫しており、FRBによる金融引き締め政策とそれに伴う金利上昇が景気に影響を与え、雇用環境が悪化する状況に至るまではしばらく時間がかかるとみているためだ。

しかし米国が高水準のインフレ環境にあるなかで金利上昇が急ピッチで進むと、消費マインドや投資マインドの悪化が想定以上に早く、悪化幅も大きくなる可能性がある。その場合、米国の消費・投資需要が急速に落ち込むとともに、企業の労働需要も低下し、雇用環境が悪化することになる。労働需要の低下は賃金上昇圧力の低下、ひいてはインフレ率の低下にもつながるだろう。やや深い景気後退とインフレ率の低下が起きる、あるいはその兆しとなるような事象が発生した場合、金融市場では利下げ期待が高まり、米金利も急速に低下する可能性がある。

上述のようなシナリオが仮に発生した場合には、ドル円相場は想定より早く、かつ急速に円高・ドル安が進む可能性がある。日米金利差の急速な縮小に加え、米国と日本の金融政策の違いに着目した、投機筋による過度な円売りも巻き戻すことになるためだ。円高・ドル安に転じるタイミングや変化幅は幅をもってみる必要があるだろう。

29 不動産

オフィス供給拡大期を迎え、不動産市場は弱い動き

地価は回復傾向も、オフィス市場の戻りは弱い

不動産取引の際の評価指標として用いられる国土交通省「地価公示」は、2022年1月時点の全国平均が前年比＋0.6％（2021年同▲0.5％）と2年ぶりに上昇した。新型コロナウイルスの影響が徐々に和らいだことで、地価は回復に向かっており、コロナ禍が本格化する前、2020年1月の前年比＋1.4％と比べると、依然として伸び率は低位にとどまっているものの、コロナ禍からの回復の兆しがうかがえる。

四半期ごとの地価動向がわかる国土交通省「地価LOOKレポート」を見ると、コロナ禍以降は、住宅需要が地価を下支えしていることがわかる（図1）。在宅時間が増え、より快適な住まいへのニーズが高まったことで、コロナ禍でも需要が堅調であったことから、住宅系地区は2020年の第4四半期より前期比プラス圏推移が続いており、商業地に先行して地価が回復した。また、低金利環境の継続、住宅取得支援施策等による下支えの効果もあり、住宅系地区は2022年入り後も伸び幅を強めている。

一方、商業地は、テレワーク普及を受けたオフィス縮小の動きがあったことや、観光地のインバウンド需要が剥落したことで回復が遅れ、2021年第3四半期までは前期比マイナス圏での推移が続いていた。その後は、景況感の改善に伴い、都心郊外エリアを中心に需要が高まったことで、2021年第4四半期に上昇に転じた。2022年入り後も前期比プラス圏を維持しており、再開発事業等の進展期待がある地域や、駅近の繁華街を中心に地価の回復が続いている。

次に、不動産市場で大きなシェアを占めるオフィスビル市場の動向を見て

図1　住宅地に遅れて商業地も回復へ

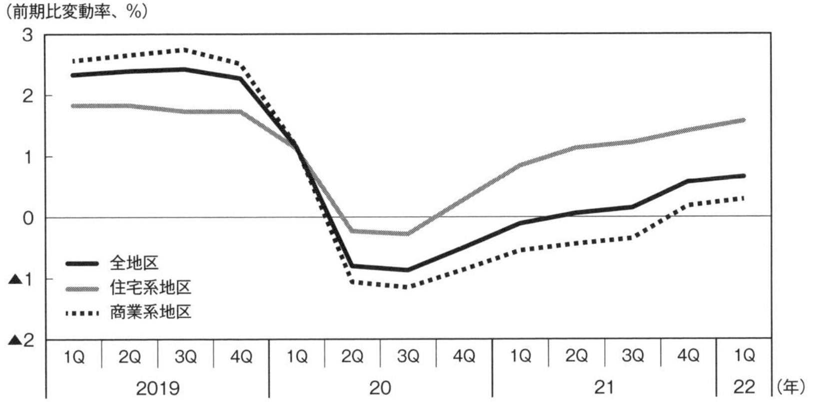

（注）地区数一覧表の変動率を元に加重平均したデータを使用
（資料）国土交通省「主要都市の高度利用地地価動向報告（地価LOOKレポート）」より、みずほリサーチ＆テクノロジーズ作成

みよう。2022年入り後のオフィスビル市場は、サービスを中心とした経済活動の回復がプラス要因となった一方で、オミクロン株の感染拡大やウクライナ情勢の緊迫化による世界経済の先行き不透明感が足かせとなった。東京ビジネス地区の平均空室率（三鬼商事株式会社による市場調査。千代田・中央・港・新宿・渋谷の5区を対象）は、2022年6月時点で6.39％（2021年6月：6.19％、2020年6月：1.97％）と上昇から横ばいに転じたものの、テレワーク定着による床面積の縮小や解約の動きが続き、高止まりしている。また、平均賃料も2022年6月時点で20,273円（2021年6月：21,160円、2020年6月：22,880円）と、下げ幅は低下したものの、なお下落が続いている。

経済活動の正常化に伴い、空室率の悪化や賃料の下落率は着実に縮小しているものの、依然として、オフィスビル市場は軟調な動きが続いていると言えよう。

2023年はオフィス供給拡大期に突入。不動産市場は調整局面が続く

2023年の不動産市場の動きを見る上で重要となるのが、オフィス供給量の

急増である。森ビル株式会社の調査によると、東京23区の大規模オフィスビルの供給量は、2021年（61万㎡）、2022年（48万㎡）と過去実績の年平均（104万㎡）を大きく下回っていた。感染拡大による景況感悪化やテレワーク普及を受けて、オフィス需要は下押しされたものの、2021年〜2022年は需給バランスが大きく崩れることは回避されていた。

しかし、2023年には128万㎡と、大規模オフィスの再開発が進むことにより、供給量の大幅な増加が予定されている。データが確認できる1986年以降で最大となった2003年（216万㎡）の供給量は下回るものの、過去の年平均を上回る供給量となる見込みだ。大量供給により需給バランスが崩れれば、空室を避けるため、賃料を下げてでもテナントを確保しようとする動きが加速するおそれがあり、平均賃料は一層弱含む懸念がある。

過去の大量供給局面を見ても、東日本大震災や円高進行によって景気が冷え込むなか、2012年のオフィスビルの大量供給が重なり需給が緩和したことで、オフィス市場の調整が長期化した。2023年のオフィスの大量供給期においても、海外経済の減速等が下押し要因になるなか、供給量の増加に見合う需要の高まりは期待できず、不動産市場は調整局面が続く見込みである。

インバウンド回復や出社回帰の動きが押し上げ要因に

2023年は新型コロナの収束に伴う水際対策のさらなる緩和や、受入環境の整備が進み、インバウンド需要の回復が本格化するだろう。観光庁「宿泊旅行統計調査」によると、日本人の延べ宿泊者数は、2022年6月は2019年同月比▲6.6％（5月同▲13.5％、4月同▲16.1％）と、都道府県ごとに実施された「県民割」の効果もあり、コロナ前に近い水準まで回復が進んでいる。一方で、外国人の延べ宿泊者数は、2022年6月は同▲93.4％（5月同▲93.1％、4月同▲95.3％）と、6月には水際対策が修正され入国制限が緩和されたものの、低水準での推移が続いている。逆に言えば、今後の回復余地が大きいということであり、インバウンドの受入増加が進むにつれて、コロナ禍で厳しい状況に置かれていたホテルや商業施設の回復が鮮明となり、不動産市場の下支えとなるだろう。

インバウンド需要の回復に加え、コロナ禍収束に伴う出社回帰の動きも、

図2　コロナ影響の一服とともにテレワーク実施率は低下傾向

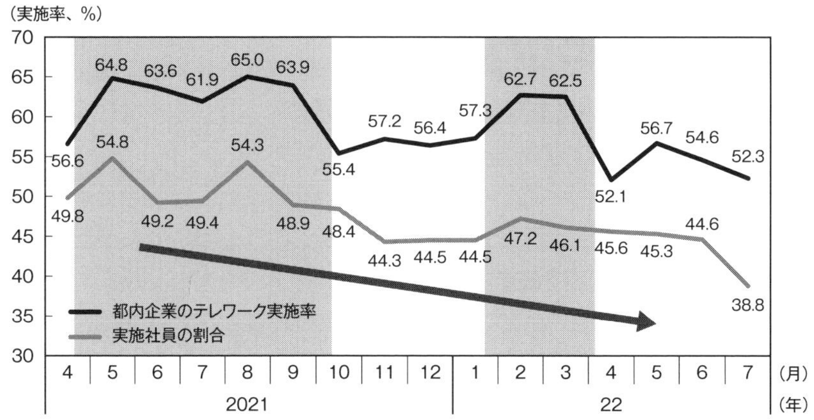

（注）シャドーは「緊急事態宣言」または「まん延防止等重点措置」の発令期間
（資料）東京都「テレワーク実施率調査結果」より、みずほリサーチ＆テクノロジーズ作成

不動産市場にプラスに働くと考えられる。東京都が毎月実施している「テレワーク実施率調査」によると、都内企業（従業員30人以上）のテレワーク実施率は、デルタ株蔓延を受けた緊急事態宣言が発令されていた2021年8月には、65.0％まで上昇していたが、オミクロン株BA.5蔓延による新型コロナ第7波の最中である2022年7月には52.3％まで低下した（図2）。テレワークを実施する社員の割合についても、2022年7月には38.8％まで低下している。「緊急事態宣言」や「まん延防止等重点措置」の発令に伴う一時的な実施率の上昇は見られるものの、基調としては徐々に低下する傾向が見受けられる。

行動制限の解除に合わせて、すでに一部大手企業でも、対面コミュニケーションに重点を置き、原則出社に戻した企業もある。図2で見たように、テレワーク実施率は低下傾向が続いており、コロナ禍が収束に向かうにつれて、テレワーク廃止・縮小の動きが一定程度進むとみられる。

前述のとおり、2023年の不動産市場はオフィス供給量増加を受けて軟調な動きが続く見込みだが、コロナ禍の影響収束に伴うインバウンド需要の回復や出社回帰の動きがプラス材料となり、大崩れは避けられるだろう。

30 商品市況

2023年は総じて軟調だが、欧州のガス高は長期化へ

高値が続いた2022年前半

商品市況は、旺盛な財需要を背景に高騰した2021年に続き、2022年前半も高値圏での推移が続いた。2021年はコロナ禍でサービス消費の回復が遅れる一方、その分の支出が財の購入に充てられたことから米国を中心に財需要が盛り上がり、原材料である一次産品の価格が高騰した。米国の財消費は上昇に歯止めがかかったものの、2022年になっても従来のトレンドを上回る推移が続いた。米国株が下落した影響もあり、2022年の春先までに価格の上昇が一服した商品も多かったが、こうした旺盛な財需要が下支え要因となり、2022年前半の商品市況は引き続き高値が続いた。

また、2022年はロシアによるウクライナ侵攻も商品市況を押し上げる要因となった。2021年からウクライナ国境に兵力を増員していたロシアが、2022年2月24日にウクライナへの侵攻を開始すると、その直後からウクライナやロシアのシェアが高い一次産品の価格が高騰した。たとえば小麦の代表的な指標であるシカゴ商品取引所の先物価格は、2022年に入ってから概ね1ブッシェルあたり7ドル台後半で推移していたが、3月上旬には一時14ドルを上回った（図1）。小麦価格はその後インドが輸出を停止した影響もあり、ロシアがウクライナに侵攻した2月下旬から6月下旬までの3カ月にわたって10ドルを超える高値が続いた。

小麦価格がここまで高騰したのは、ウクライナが世界有数の穀倉地帯であったことが原因である。ウクライナの小麦の輸出量は世界全体の小麦貿易の1割以上を占め、その供給停止は小麦の需給バランスに大きな影響を与えるものであった。特に中東や北アフリカについては、ウクライナ産小麦の主な

図1　歴史的な高値を記録した小麦価格

(資料) Refinitivより、みずほリサーチ&テクノロジーズ作成

輸出先であったことから、深刻な小麦不足が懸念された。また、中東・北アフリカ以外の地域でも、多くの国で小麦は主食とされており、価格の高騰は市民生活を直撃した。影響は所得の低い新興国ほど大きく、ウクライナによる穀物供給の停止が長期化すれば新型コロナウイルスの流行によって拡大した新興国の食糧危機がさらに深刻化すると懸念された。国連による試算では、2019年に1億3千万人の人々が食料危機に直面していたが、それが新型コロナウイルスの影響によって2億7千万人以上に増加し、さらにウクライナ侵攻による穀物不足や穀物価格の高騰で5千万人増えるとされた。ウクライナによる穀物供給が長期間にわたって停止した場合の影響がいかに甚大なものであるかがうかがえる。

そのほかにも今回のウクライナ侵攻によって小麦と同様にウクライナの輸出が世界シェアの1割以上を占めるトウモロコシの価格が高騰した。また、ロシアに世界有数の製造会社があるアルミニウムやロシアによる鉱石の採掘が世界シェア1位のパラジウム、同じくロシアの生産シェアが世界3位のニッケル、エネルギーではロシアの生産シェアが世界3位の原油や同2位の天然ガスの価格が、それぞれ急騰した。なかでも小麦やトウモロコシ等の穀物価格や原油や天然ガスといったエネルギー価格の上昇は、各国のインフレ率を押し上げる大きな要因となった。

2023年の商品市況は下落を予想

旺盛な財需要に支えられてきた商品市況だったが、2022年半ば以降は徐々に軟調な展開が目立つようになってきた。商品市況の高騰が大きな要因となった世界的な高インフレが、各国経済の下押し要因となり始めたためである。2022年7月にはすでに米国やユーロ圏の総合PMI（Purchasing Managers' Index、購買担当者景気指数）が景気判断の境目となる50を下回るなど、景気減速の兆候がみられた。2023年は世界的な景気減速が一段と鮮明になると予想されることから、商品市況は総じて軟調な展開が予想される。

懸念されるのは長期化するウクライナ侵攻の影響だが、小麦やトウモロコシの価格は世界経済の先行き懸念を背景に2022年夏にはウクライナ侵攻前の水準近くまで値を下げ、収穫期前の段階ですでに落ち着きを取り戻していた。停止していたウクライナの穀物輸出についても、幸いにして国連とトルコの仲介によってロシアが黒海の航行を認めたことから2022年8月に再開された。ロシアによるウクライナ侵攻は長期化の様相を呈し、早期の終結は望めない状況にあるが、黒海経由の穀物輸出が順調に増えていけば、穀物価格の高騰を抑制する要因になるだろう。

欧州の天然ガス価格は2023年も高値が継続

2023年は総じて軟調な展開が予想される商品市況だが、天然ガスについては事情が異なる。欧州の代表的な天然ガス価格の指標であるTTF（Title Transfer Facility）は、2016年から2020年にかけて平均15ユーロ/MWhで推移していたが、2022年8月下旬には一時300ユーロ/MWhを上回る高値をつけ、2023年も高値が続く可能性がある（図2）。

背景にはEUとロシアの対立がある。EUはウクライナ侵攻の制裁としてロシア産石炭の輸入を2022年8月から停止し、さらに石油の輸入についても2022年末までにその90％を止めることを決めるなど制裁を強めた。一方の

図2　高値の継続が予想される欧州ガス価格（TTF）

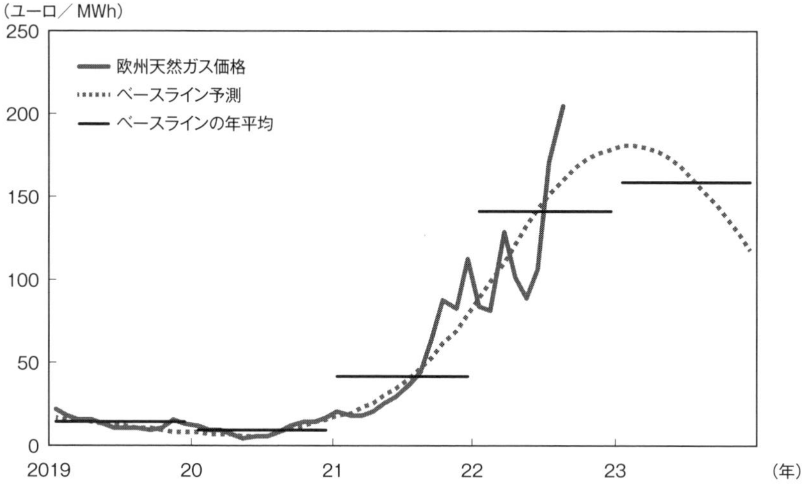

（注）欧州天然ガス価格は月中平均値（2022年9月は中旬までの平均）。ベースライン予測は、みずほリサーチ＆テクノロジーズによる2022年7月時点の予測
（資料）Refinitivより、みずほリサーチ＆テクノロジーズ作成

ロシアも、これに対抗してEU向けの天然ガス供給を削減したことからガス需給のひっ迫懸念が高まり、欧州のガス価格が高騰した。ロシアは、ベラルーシを経由しポーランドやドイツにつながるパイプライン「ヤマル・ヨーロッパ」のガス供給を2022年5月に停止したほか、6月からはドイツに天然ガスを供給するもう一つのパイプラインである「ノルドストリーム1」でも天然ガスの流量を6割削減した。EUはロシアのガス供給停止に備えて、ガス消費の15％削減計画を打ち出したが、ロシアは「ノルドストリーム1」のガス供給を8月末から停止し、両者の対立は一段と深刻化した。

EUは米国からLNG（液化天然ガス）の輸入を増加させるなど、ロシア以外からの調達を増やしており、2022年末から23年初めにかけての冬場にガス不足が発生するリスクは低下した。しかし、EUの制裁が続く限り、ロシアの揺さぶりも続くと考えられる。脱ロシア依存を目指すEUでは、引き続きガス消費の削減と調達の多様化を進めるとみられるが、2023年もタイトなガス需給を背景に、天然ガスの価格は高値が継続するとみている。

COLUMN

気になる経済統計データ（その3）

各国の軍事費と対GDP比率

	1992	2000	2010	2020
日本	45（1.0%）	47（0.9%）	47（1.0%）	52（1.1%）
アメリカ	600（4.6%）	481（3.1%）	876（4.8%）	778（3.5%）
中国	28（1.9%）	42（2.0%）	133（1.7%）	258（1.7%）
ロシア	44（4.2%）	22（3.5%）	46（3.4%）	62（4.1%）
中央値	（2.3%）	（1.7%）	（1.5%）	（1.5%）

（注1）軍事費は億ドル、実質ベース。カッコ内は対GDP比率
（注2）中央値は表に記載していない国も含め、データのあるすべての国の中央値（最大155ヵ国）。年ごとの集計対象国の違いによる振れが大きいため、金額の中央値は記載していない
（資料）SIPRIより、みずほリサーチ&テクノロジーズ作成

◆各国の軍事費は対GDP比率では米ソ冷戦が終結した1990年代に徐々に低下し、2000年代以降は概ね安定して推移している。日本は1%前後で相対的に低く、アメリカ、ロシアは4%前後で比較的高い。

◆もっとも、経済成長に従って軍事費の金額自体は増加傾向にある。報道等で中国の軍事増強に触れられることもあるが、中国の軍事支出は対GDP比率では2%弱で安定的に推移しつつ、急激な経済成長に伴って軍事費が増加していることが見て取れる。

◆日本は長らく対GDP比1%程度を目安としてきたが、昨今の安全保障環境の変化を踏まえ、防衛予算の増額が取り沙汰されている。軍事力が実際に行使されれば悲惨な状況を招くことは衆知の事実であり、軍拡競争に陥らないよう慎重な対話が求められる。

第4章 制度・政策がわかる10の論点

31　IPEF
32　地経学
33　新しい資本主義
34　EUグリーン政策と日本への示唆
35　カーボン・クレジット
36　ブルーエコノミー
37　ネットゼロ目標
38　大学ファンド
39　ビジネスと人権
40　資産所得倍増プラン

31 IPEF

インド太平洋地域における米主導の新たな経済枠組み

IPEFは米国のインド太平洋地域への経済的関与の証

2022年5月23日、訪日中のジョー・バイデン米大統領は、岸田文雄首相ほか、インド太平洋地域諸国の首脳・閣僚らと、「繁栄のためのインド太平洋経済枠組み（Indo-Pacific Economic Framework for Prosperity: IPEF）」の立ち上げに合意した。その際の共同声明によれば、IPEFは、参加国の「経済の強靭性、持続可能性、包摂性、経済成長、公平性、競争力を高めることを目的」とし、IPEFを通じて、インド太平洋地域における「協力、安定、繁栄、開発、そして平和に貢献することを目指す」ものとされている。IPEFは、日米両国を含むインド太平洋地域の13カ国で立ち上げられ、同月26日にフィジーが加わり、計14カ国で始動した（図1）。参加14カ国の経済規模（GDP）は、全世界の約4割（約36兆ドル）を占め、約25億人（世界の3割強）が含まれる巨大な経済枠組みとなる。

IPEFの立ち上げは、米国のインド太平洋地域への経済的関与を明確に示すものとして、日本をはじめとする参加各国から歓迎された。ドナルド・トランプ前政権期の米国は、TPP（環太平洋パートナーシップ）からの離脱を表明して以降、同地域への経済的関与に関する明確な戦略を示していなかった。そこに生じた「空白」を、RCEP（地域的な包括的経済連携）発効やCPTPP（環太平洋パートナーシップに関する包括的及び先進的な協定）への加入申請等によって中国が埋めようとしている。こうした見方が米国内、また、同地域に広がるなか、バイデン政権には同地域への経済的関与に関する戦略を明らかにすることが求められていた。

バイデン大統領がIPEF構想を打ち出したのは、2021年10月の東アジア

図1　インド太平洋地域では多くの経済連携枠組みが重なる

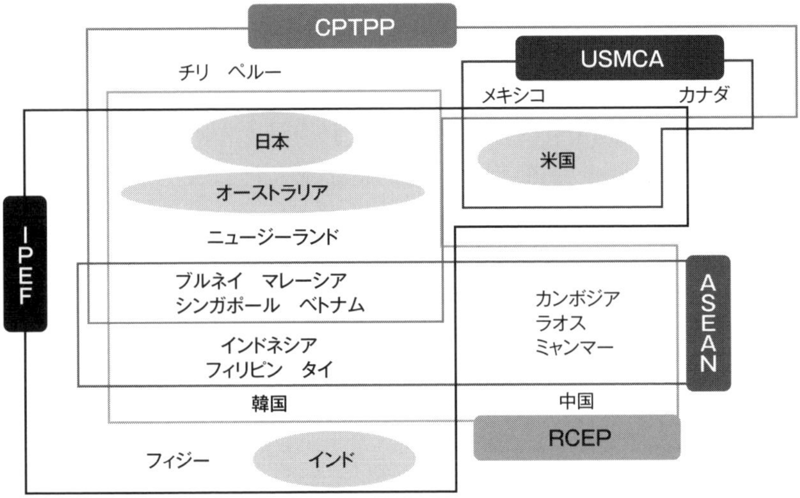

（注）丸囲みは日米豪印（Quad）
（資料）みずほリサーチ＆テクノロジーズ作成

サミット（EAS）においてであった。その後、2022年2月に米政府が公表した「米国のインド太平洋戦略」で、同地域のインフラ整備支援策とともに、IPEFを米国の同地域における経済戦略の柱に位置付け、同年5月にIPEFを正式に立ち上げるに至った。いわばIPEFは、国内の強い反対によりTPPに復帰できないバイデン政権による、インド太平洋地域における経済的関与のための代替策であり、トランプ前政権下で失われた米国の同地域における経済的リーダーシップの再建を図る方策といえる。

IPEF実現に向けて日本の役割は大きい

IPEFは、TPPのような「伝統的な自由貿易協定（FTA）」とは異なる、「21世紀の経済的課題に対処するための21世紀型の経済的取り決め」と位置付けられている。①貿易、②サプライチェーン、③クリーン経済、④公正な経済の4つの柱で構成され、「伝統的なFTA」の中核である物品貿易における関税の削減・撤廃等の参加国市場の自由化は含まれていない。したがって、IPEFは、ルールの策定や政策調整、協力・支援のための取り決めが中心になるとみられている。

立ち上げから参加国の議論や調整を経て、2022年9月8-9日に開催された閣僚会合において、IPEFの交渉開始が合意された。同時に、各交渉分野における交渉事項（表1）や各交渉への参加国が明らかとなった。②サプライチェーン、③クリーン経済、④公正な経済の交渉には全14カ国が参加することになったが、①貿易にはインドが不参加となった。インドは、①貿易で交渉される労働や環境、デジタル経済のルールがインドのような新興国にとって不利益になるのではないかとの懸念を不参加の理由に挙げている。

IPEFを主導する米国は、4つの柱のもとでTPPと同水準、あるいは一部でそれを上回るような高度なルールで合意することを望んでいる。しかし、新興国・途上国からすれば、米国の望む高い水準のルールを受け入れれば、現行の国内政策の変更も必要となる。他方、これらに見合うだけの利益がIPEFによってもたらされるのか、という点は必ずしも明らかではない。

新興国・途上国にとり、先進国とのFTA等の経済的取り決めに参加する際の大きなメリットの1つが、当該先進国市場へのアクセスの改善である。新興国・途上国が、先進国市場への輸出機会の拡大といった恩恵を受けるのと引き換えに、先進国が望む高度なルールを受け入れることが多くみられる。しかし、IPEFでは関税の削減・撤廃は扱わないため、新興国・途上国がIPEFにおける取り決めに参加するメリットがみえにくい。また、新興国・途上国は、ルールの実施にあたっては、参加国の経済発展水準に応じた柔軟性や支援を求めている。

米国は、貿易に関する規制・規格等の非関税障壁に対処することで貿易円滑化が進むことや、インフラ整備や技術協力・能力構築支援を受けられること等、IPEFには新興国・途上国にとってメリットのあるものが多く含まれると主張しているが、参加国の理解を得るには今後これを具体的に示す必要がある。

日本は、IPEFが「デジタルやサプライチェーン、脱炭素といった21世紀型の課題に対し、インド太平洋地域の多様な国が協力して、ルールと協力のバランスの取れたパッケージを作っていく」（西村康稔経済産業大臣）ことを訴えている。IPEFを多くの国が参加する実りある経済枠組みにするために

表1　IPEFは４つの柱で構成

1.貿易
①労働、②環境、③デジタル経済、④農業、⑤透明性及び良き規制慣行、⑥競争政策、⑦貿易円滑化、⑧包摂性、⑨技術・経済協力
2.サプライチェーン（供給網）
①重要分野・品目の基準策定、②重要分野・品目における強靭性と投資の強化、③情報共有・危機対応メカニズムの構築、④供給網物流の強化、⑤労働者の役割強化、⑥供給網の透明性改善
3.クリーン経済
①エネルギー安全保障と移行、②優先分野での温室効果ガス排出量削減、③持続可能な土地・水・海洋利用、④温室効果ガス除去の革新的技術、⑤クリーン経済への移行を促すインセンティブ
4.公正な経済
①腐敗防止、②税、③能力構築・技術革新、④協力・包摂的連携・透明性

（資料）米政府資料より、みずほリサーチ＆テクノロジーズ作成

は、米国と新興国・途上国の間で調整役を果たし得る日本の役割が大きい。

中国はIPEFに強く反発

米国がIPEFを進めるのにはもう1つ、価値を共有する同志国との間で、安全で信頼できるサプライチェーンを構築する「フレンド・ショアリング」をインド太平洋地域で進めようとの狙いがある。ロシアのウクライナ侵攻によって露呈した、EU（欧州連合）諸国が対ロ・エネルギー依存度の高さゆえに被った経済的悪影響や対ロ経済制裁での制約は、自由や民主主義、人権尊重や法の支配といった基本的価値を共有していない国への経済的依存のリスクを明らかにした。米国は、フレンド・ショアリングを進めて経済面での対中依存度を低減し、経済安全保障を強化するために、IPEFを活用しようと目論んでいる。

中国は、IPEFは中国を排除し、米国が同地域での経済的覇権を維持するための道具であるとして、強く反発している。また、IPEFに参加している国の多くは、米中対立が続く中で米中いずれかを選ぶ「踏み絵」を迫られることは避けたいと考えている。そのため、IPEFが今後どのような形になっていくのかが、インド太平洋地域の未来を大きく左右することになるだろう。

32 地経学

外交・安全保障と経済を一体としてとらえる

注目度高まる「地経学」

ここ数年で「地経学（geoeconomics）」という言葉を目にすることが多くなった。地経学は、「地政学的目的を達成するために経済的手段を用いること」と一般に説明される。「地政学（geopolitics）」は、国家の置かれた地理的環境を重視して国家の特質や国家間関係を分析することであり、ここでいう「地政学的目的」とは、国際場裏における国益の追求や国家安全保障の確保といった意味ととらえてよいだろう。つまり、地経学とは、外交や安全保障といった「政治」の領域の問題を「経済」の観点からとらえ直すことであり、軍事的手段によらず、経済的手段によって自国にとって望ましい国際環境の構築を図ることといえる。この点では、やはり近年注目度が高まっている「経済安全保障」と同様であり、「経済安全保障」は地経学上の重要な概念の1つと位置付けられる。

地経学に注目が集まるようになった背景には、「政治」と「経済」を分けて考えることが近年難しくなっていることがある。たとえば、二国間関係を「政冷経熱」と表現することがある。これは、外交や安全保障といった国家間の政治問題では両国間に難題があって関係が「冷めている」一方、両国企業による貿易や投資等の国境を越えた経済活動は活発で「熱い」関係にあることを指しており、「政治」と「経済」は分離できる別の問題という前提に基づいている。しかし近年、国家が政治上の目的を達成するために、自国の経済力や技術力を活用する事象が増えている。そのため、地経学の観点から国際政治上の問題を分析・検討することが重要となっている。

これを示す具体例として、日米経済版「2プラス2」の設置がある。従来、日本と米国の間には、「日米安全保障協議委員会」があった。両国の外交と防衛の担当閣僚が参加することから、日米「2プラス2」と呼ばれている。この安全保障や防衛上の問題を協議する枠組みに倣い、外交と経済産業政策の担当閣僚によって構成される経済版「2プラス2」を設置することが2022年1月の日米首脳会談で合意された。同年7月29日には「日米経済政策協議委員会」(EPCC) の第1回会合が開催され、日本から林芳正外相と萩生田光一経済産業相（当時)、米国からアントニー・ブリンケン国務長官とジーナ・レモンド商務長官が参加した。この日米経済版「2プラス2」は、「外交・安全保障と経済を一体として議論する」(林外相) 枠組みとされている。

国家による多様な地経学的行為

米中対立下での技術をめぐる競争、ロシアのウクライナ侵攻に対する西側諸国の対ロ経済制裁とロシアによる対抗措置、日本における経済安全保障推進法の成立等、地経学的観点からの分析が重要性を増していることを示す事象には事欠かない。こうした事象からは、国家による地経学的行為には、他国に自国が望む行動をとらせる（自国が望まない行動をとらせない）ものと、そうした他国による圧力から自国を守るものがあることがみてとれる。

ロシアのウクライナ侵攻に対する西側諸国の対ロ経済制裁とそれへのロシアの対抗措置は前者の典型例である。2022年2月にロシアがウクライナに侵攻すると、日本を含む西側諸国は、ロシア政府幹部等の資産凍結、国際的な決済網（SWIFT）からのロシアの特定金融機関の排除、ロシア中央銀行の資産凍結、半導体等の重要技術やロシアの産業基盤強化に資する製品および奢侈品の輸出禁止、エネルギー資源や水産物・木材等のロシアの主要輸出品目の輸入制限・禁止、ロシアへの最恵国待遇の停止等、次々とロシアに対する経済制裁措置を発動した。これらは、戦争継続に必要な物資と資金の入手を困難にし、また、ロシア経済に打撃を与えてロシア国内の厭戦気運を高めることで、ロシアのウクライナ侵攻を停止させることを狙ったものであった。ロシアはこれに対抗し、制裁を発動しているEU（欧州連合）諸国の対ロ・エネルギー依存度が高いことにつけこみ、天然ガスの供給量の削減等によってEU諸国経済に打撃を与え、対ロ制裁措置の緩和・撤回を狙った。

これに対してEUが取った行動は後者の事例といえる。EUは、ロシアに代わる国からのエネルギー調達の拡大、域内での代替エネルギー源の確保やエネルギー消費の削減等、対ロ・エネルギー依存度の低減を図り、ロシアからの圧力に抗するための政策を打ち出した。

このように、経済制裁やそれへの対抗措置、相手国の自国の市場や物資への依存を利用した経済的威圧といった威圧・強制によるものに加え、経済援助や技術支援、自由貿易協定（FTA）の締結等による相手国への自国市場の開放や貿易投資ルールの形成等、相手国が望む利益の提供により相手国に政策変更を促すもの、国内産業の競争力強化や重要物資の国産化・供給源の多元化、重要鉱物の省資源化・再利用促進や代替材料開発支援等、相手国の威圧・強制から自国を守り、それらの措置の抑止を図るもの等、国家による地経学的行為は多様な形態により行われている。

地経学時代に対応するための経済安全保障推進法

2022年5月に成立した経済安全保障推進法は、こうした地経学の時代に日本が対応するための法律である。すでに今後の法改正が見込まれているが、同法は日本の経済安全保障の確保のための第一歩と位置付けられる。

同法に基づき策定された基本指針は、「安全保障上の観点から国家として守るべき対象が経済分野にまで広く及ぶようになり、また、安全保障を確保するための手段についても、従来の外交・防衛といった手段はもとより、経済上の措置を用いて対処することの必要性が増している」との認識を示し、「①国民生活及び経済活動の基盤を強靱化することなどにより、他国・地域に過度に依存しない、我が国の経済構造の自律性を確保すること（自律性の確保）、②先端的な重要技術の研究開発の促進とその成果の活用を図ることなどで、他国・地域に対する優位性、ひいては国際社会にとっての不可欠性を獲得・維持・強化すること（優位性ひいては不可欠性の獲得・維持・強化）、③国際秩序やルール形成に主体的に参画し、普遍的価値やルールに基づく国際秩序を維持・強化すること（国際秩序の維持・強化）に向けた取組が必要」としている。また、「経済面における安全保障上の一定の課題については、官民の関係の在り方として、市場や競争に過度に委ねず、政府が支

表1　経済安全保障推進法は４つの制度を創設

重要物資の安定的な供給の確保に関する制度	
【目的】	国民の生存や、国民生活・経済活動に甚大な影響のある物資の安定供給の確保
【措置】	特定重要物資の指定、民間事業者の計画の認定・支援、特別の対策としての政府による取り組みなど
基幹インフラ役務の安定的な提供の確保に関する制度	
【目的】	基幹インフラサービスの提供を妨害する行為（サイバー攻撃等）の手段として、基幹インフラの重要設備が使用されることの防止
【措置】	重要設備の導入・維持管理等の委託の事前審査、勧告・命令など
先端的な重要技術の開発支援に関する制度	
【目的】	先端的な重要技術の研究開発の促進とその成果の適切な活用
【措置】	必要な情報提供・資金支援、官民伴走支援のための協議会設置、調査研究業務の委託（シンクタンク）など
特許出願の非公開に関する制度	
【目的】	安全保障上機微な発明の特許出願につき、公開や流出を防止するとともに、安全保障を損なわずに特許法上の権利を得られるようにする
【措置】	保全指定をして公開を留保する仕組みや、外国出願制限など

（資料）内閣府「経済安全保障推進法の概要」より、みずほリサーチ＆テクノロジーズ作成

援と規制の両面で一層の関与を行っていくことが必要である」として、「安全保障を確保するため合理的に必要と認められる限度」で、政府が民間の経済活動に深く関与していく方針を示している（以上、「経済施策を一体的に講ずることによる安全保障の確保の推進に関する基本的な方針」2022年9月30日閣議決定）。

同法では、まず取り組むべき分野として、①重要物資や原材料のサプライチェーンの強靱化、②基幹インフラ機能の安全性・信頼性の確保、③官民が連携して重要技術を育成・支援する枠組み、④特許非公開化による機微な発明の流出防止の4分野について法制化が図られた（表1）。これらの制度が期待通りの効果を発揮すれば、他国からの経済的威圧への耐性を高め、他国が日本に対してそれらの措置を取ることを抑止し、他国に対して経済制裁等の必要が生じた場合により効果的な手段を保持することになるだろう。

ロシアのウクライナ侵攻においては、多くの企業が物流の混乱やレピュテーションリスク（社会的評判の毀損）等への対応のため、ロシア事業の一時停止や撤退を決断した。日本企業も、関連する法規制に対応するだけでなく、地経学の観点から事業を見直し、今後のリスクに備える必要がある。

33 新しい資本主義

人的資本投資を起点にした成長と分配の好循環を実現へ

「新しい資本主義」とは何か

岸田政権が看板政策として掲げる「新しい資本主義」とは何か。これまでの資本主義とは何が異なるのか。

岸田政権が2022年6月に策定した「新しい資本主義のグランドデザイン及び実行計画」(以下、「実行計画」)では、資本主義の潮流が20世紀初頭までの自由放任主義から第二次大戦以降の福祉国家主義を経て1980年代以降の新自由主義へと変遷するなか、社会が「市場(民)か国家(官)か」のどちらを重視するかで大きく揺れ動いてきたことを指摘している。そうした歴史を踏まえ、「新しい資本主義」ではどちらか一方ではなく「市場(民)も国家(官)も」として、市場もしくは国家だけでは対処できない大きな社会的課題を官民連携により解決していく姿勢が示されている。

日本経済の2つの課題:低生産性と低所得化

では、そうした解決すべき課題とは何か。経済の観点からみると、過去30年間に日本経済が長期停滞するなかで、2つの大きな課題が生じているといえるだろう。

図1は、日本の潜在成長率(経済の供給側からみたトレンド的な成長率)の推移を示したものだ。潜在成長率は1980年代に4%を超えていたが、90年代に急低下し、2000年代以降は1%を下回る低水準が続いている。潜在成長率が変化した要因をみると、就業人口や労働時間の減少を受けて労働投入量が1990年代以降マイナスに転じたことに加え、設備投資の抑制により資本投入量のプラス幅が大きく縮小した。さらに、技術進歩を表す全要素生産性

図1　日本の潜在成長率は低い伸びにとどまる

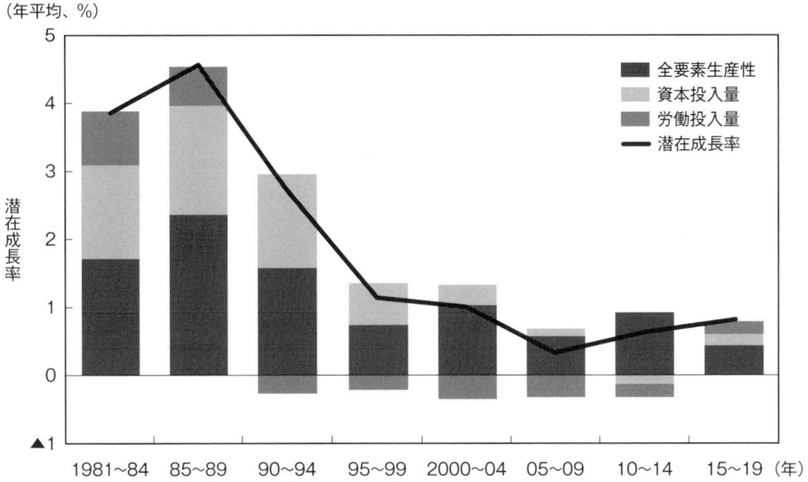

(資料) 内閣府「潜在成長率」より、みずほリサーチ&テクノロジーズ作成

図2　分配面では2000年代以降に低所得化が継続

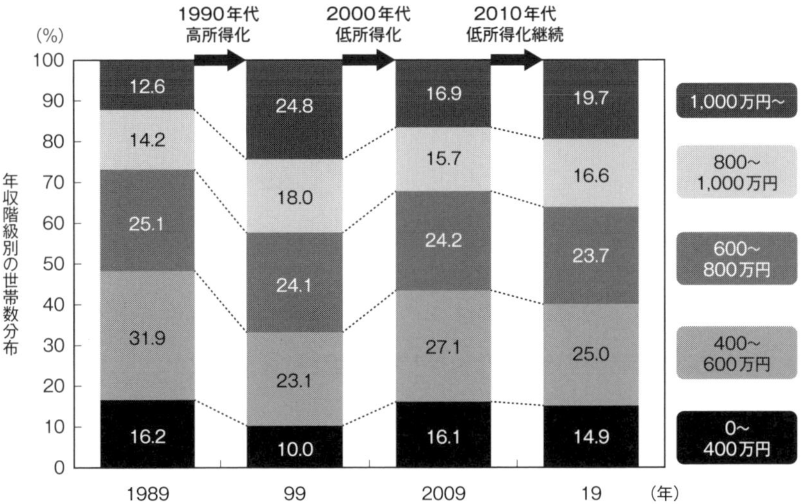

(注) 2人以上・勤労者世帯
(資料) 総務省「全国消費実態調査」、「全国家計構造調査」より、みずほリサーチ&テクノロジーズ作成

の伸びも鈍化している。生産性の上昇は長期的な経済成長の源泉であり、こうした「低生産性」が日本の成長の面からみた大きな課題になっている。

もう一つの課題は、所得の分配に関するものだ。勤労者世帯の年収別割合をみると、1990年代は全体的に高所得化が進んだものの、2000年代は高所得世帯が縮小し、逆に低所得世帯（年収400万円未満）の割合が高まっている（図2）。この「低所得化」の傾向は2010年代も大きく変わっておらず、日本経済が成長の面だけではなく分配の面でも課題を抱えていることを示している。

ここで重要なのは、日本をむしばむ成長と分配両面の課題について、どちらか一方のみに対処する施策は根本的な解決にはなり得ないということだ。たとえば、政府が何らかの成長戦略を実施しても、生産性上昇効果が一部の企業にとどまれば、所得格差が拡大して分配面の課題はむしろ悪化する。幅広い層の所得が増えなければ社会全体の需要が喚起されず、持続的な成長につながらない。他方で、ベーシックインカムのように分配面に直接働きかける政策は所得格差を幾分縮小させるものの、それ自体には生産性を引き上げる効果がなく、成長面の課題は解決できない。そうした状況で政府が多額のベーシックインカム費用を拠出し続けるのは非現実的だろう。

したがって、日本が真に実施すべきは成長と分配両面の課題を同時に解決する施策である。これが「新しい資本主義」の本質であり、その中核になるのが「実行計画」において重点投資の第一に位置付けられた人的資本投資だ。公的な職業訓練の拡充や企業の人的資本投資の支援により、生産性・成長力を高めると同時に、幅広い労働者のスキルアップを促して稼得能力を向上させ、分配面の課題にも対処することで、人的資本投資は成長と分配の好循環を実現するきっかけになると考えられる。

人への投資を含む４つの重点投資政策を実施へ

「実行計画」では、上記の①人的資本投資に加えて、②科学技術・イノベーションへの投資、③スタートアップへの投資、④グリーン・トランスフォーメーション（GX）及びデジタル・トランスフォーメーション（DX）への投資を４本柱として、中長期的な観点で実施すべき重点投資に位置付けている。ここでは、特に注目度が高い④GX・DX投資についてみてみよう。

2022年前半の資源価格高騰は、資源を輸入に頼る日本の脆弱性を再認識させる出来事であった。また、価格上昇だけでなく、国際政治上の問題から資源輸入が途絶するリスクに備える「エネルギー安全保障」の観点からも、日本のグリーン化を促進し、資源輸入の途絶やコスト上昇に対する経済の頑健性を高めることが急務である。

「実行計画」では④GX投資について、「今後10年間に官民協調で150兆円規模のGX投資を実現する」ことが掲げられている。グリーン化の推進に向けては、中小企業を中心として追加的な投資額の負担を軽減する取り組みが必要だ。みずほリサーチ&テクノロジーズでは、政府が掲げる「2030年温室効果ガス46%削減」目標を実現するには2030年までに累計で10～20兆円程度の財政負担が必要になると試算している。その点で、「実行計画」において「150兆円規模の投資を先導するための政府資金を、将来の財源の裏付けをもった『GX経済移行債（仮称）』により先行調達する」方針が示されたことは評価できるだろう。

同じく④DX投資では、「実行計画」にさまざまなテーマが盛り込まれているが、成長促進の観点からみると中小企業のDX支援が重要である。中小企業で働く人は日本の全従業者の6割を占める一方、大企業に比べ生産性が低く、中小企業の生産性をいかに引き上げるかが日本全体の成長力向上のカギを握るためだ。中小企業のDX支援策として、全国の職業能力開発促進センター等に設置されている「生産性向上人材育成支援センター」に2022年度から中小企業等のDX人材育成を推進する機能が設置されており、新たな取り組みとして注目される。海外の例をみると、欧州では中小企業のDXを推進するためのデジタル・リスキリングが行われており、企業のデジタル技術活用の段階に応じて、イベント、ワークショップ、訓練等のさまざまな支援が組み合わされて提供されている。日本においても、こうした諸外国の先行事例を参考にするほか、企業や地域でベスト・プラクティスを共有する場を設けるなどの取り組みも求められよう。

「新しい資本主義」を日本が過去30年間にわたる長期停滞から抜け出すきっかけにすることができるか、政府の本気度が問われていると言えそうだ。

34 EUグリーン政策と日本への示唆

外部環境変化に機動的に対応する背景とポイント

カーボンニュートラルに向けたグローバル潮流

2021年11月、COP26で気温上昇幅を1.5℃以内に抑える「1.5℃目標」の実現を目指すことが合意され、カーボンニュートラルに向けたグリーン化をさらに加速させようとする国際的な機運が高まった。その一方で、ウクライナや中東の地政学的な緊張の高まりにより、エネルギー資源について、価格高騰への対応や調達先の確保等も迫られている。グリーン化の推進は、地政学リスクや経済安全保障といった観点の重要度が大幅に増加したことに伴い、国・企業ともに従来以上に難しい判断が求められていると言えよう。

そのようななか、EUは機動的にグリーン政策を修正し、「REPowerEU」としていち早く方針を打ち出している。本項では、グリーン化のさらなる加速を企図するEUの政策を読み解き、日本への示唆を考えた。(詳細は、みずほ産業調査71号『脱炭素社会に向けた日本のトランジション戦略を考える〜EUグリーン政策の背景と近時動向を踏まえた日本への示唆〜』参照)

EUが推進するグリーン政策のポイント

まず、EUがグリーン政策を推進する背景の1つに、エネルギー輸入依存度の高さに対する問題意識がある。EUは再エネ電源のポテンシャルが大きいこともあり、化石燃料から再エネへのエネルギー構造転換によってEU域内のエネルギー自給率の向上を図ろうとしている。再エネ電源のコスト低減を前提にすれば、経済合理性と経済安全保障の双方で、グリーン化の推進はEUにとって合理的な判断となりうる。さらに、域外への依存度低減は、EU域内の産業競争力強化や雇用の維持・強化にも寄与することが期待される。

図1　EUはエネルギー構造転換による輸入依存度低減を企図

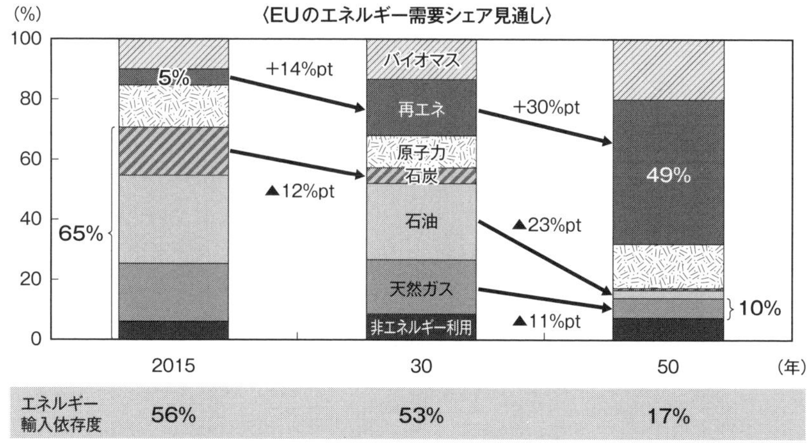

（資料）欧州委員会資料等より、みずほ銀行産業調査部作成

EUグリーン政策の根幹となるのは2019年12月公表の政策パッケージ「グリーンディール」である。これで提示した方向性に基づき、具体策の検討が続々と実施されている。特に2030年のGHG排出削減目標▲55%を実現するための政策パッケージ「Fit for 55」が当面の具体策として重要となる。

EUの特徴として、全体目標の引き上げに連動して個別施策もそれに沿った対策や水準の厳格化が速やかに検討されている点がある。代表例として、エネルギーや産業部門に対してGHGの排出枠を設定するEU-ETSで、排出枠の上限水準の削減ペースを引き上げる動きがある。引き上げ水準の議論に時間を要してはいるものの、相当程度の水準まで引き上げることを前提にした議論がなされている。なお、EU-ETSの対象にならないGHG排出についても、EU加盟国ごとに削減目標が設定されており、EU域内のGHG排出量すべてに対し、網羅的に義務的な目標を課している点も特徴である。

加えて、部門ごとに注力分野を明確化してメリハリをつけた対応をしていることも特筆すべき点であろう。エネルギーは再エネ、自動車はEVといった注力分野の特定により、それに向けた規制的措置と支援的措置として的を絞った効果的な対応が可能となる。そこに多額の資金を投下し、新たな市場を創出するための支援と、移行により取り残される分野への支援の2つの観点での支援を充実させることで、トランジションの実現を強力に促進している。さらには、体系的な戦略の策定により、計画修正等に対して全体の一貫性と整合性を保ったまま柔軟に対応可能なことも強みであると考えられる。

ただし、特定分野に注力する戦略は、不確実性の高い外部環境において、将来の選択肢となるオプションを狭めてしまう懸念があることには留意が必要である。ウクライナ情勢の発生はその懸念が顕在化した一例と言える。当面の間はロシアからの安価な天然ガス等を相応に活用することを想定していたEUは、その戦略を大幅に見直す必要に迫られているのである。

そのようななか、EUは「REPowerEU」という政策パッケージとして2022年3月に概要、2022年5月に詳細を提示し、機動的に修正を図っている。施策は多岐にわたるものの、注目すべきは天然ガスの取り扱いである。ロシア産ガス需要を他の地域からの調達で代替すること以上に、ガス需要自体の削減を重視している。さらに、ガス代替としてグリーン水素を前倒しで導入・拡大することを想定し、今回の見直しに伴う再エネ電源の増加分はすべてグリーン水素製造に必要な電力に充当する計画となっている。まさにEUは直面する課題に対し、グリーン化の加速によって乗り切ろうとしていると言える。一方、当初より野心的だった内容をさらに上積みした水準を目指すことは、さまざまな分野で歪みが出る可能性もあるため、今後の対応が注目される。

日本のトランジション戦略に与える示唆

日本は2022年5月に「クリーンエネルギー戦略」の中間整理を公表し、グリーン政策を加速しているが、EUの政策動向で述べたように、外部環境変化への機動的な対応や、全体としての整合性と一貫性のある体系的な対応といった点はEUの優れた特徴であり、日本にとって示唆に富むと言えよう。

ただし、日本がEUの対応を単純に参照すればよいわけではなく、日本の地域特性を踏まえた対応が求められることも強調したい。その理由として、日本とEUでは、電源構成に占める火力発電や再エネ発電の割合、再エネ電源のポテンシャルといった前提条件が大きく異なるためである。たとえば、

図2　EUグリーン政策は体系的にトランジションを促進

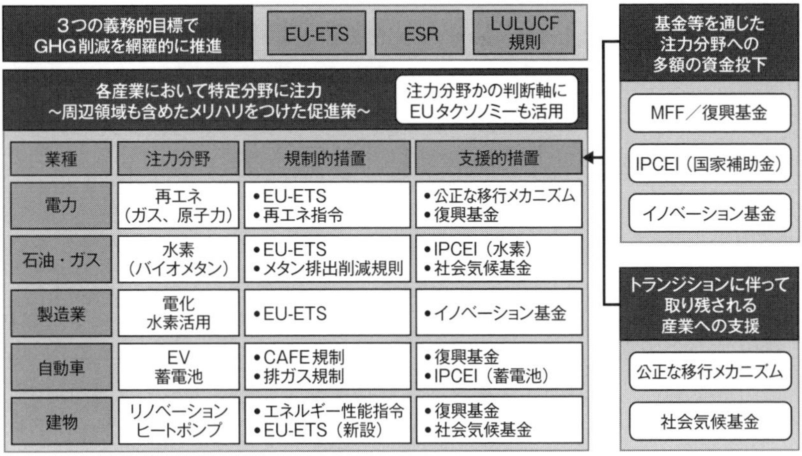

（資料）欧州委員会資料等より、みずほ銀行産業調査部作成

再エネ電源のポテンシャルが乏しい日本では、再エネ促進施策がEUほど効果的でない可能性が高い。また、石炭火力の稼働年数や原子力の稼働状況に関する差異も踏まえるべきである。同様の課題はアジアを中心とする新興国でも存在しており、現実的なトランジション戦略を策定していく必要がある。

その対策として、日本が推進する業種別のトランジションロードマップは、多排出産業におけるトランジションを促進し、金融面でのサポートも得やすくなるという観点で有効な手法だと考えられる。日本のトランジション戦略は、EUが描くシナリオとは必ずしも一致しないため、その妥当性を訴求することが重要となる。そのためには、日本における当該産業の位置づけや海外比較による地域特性の明確化といった論点をさらにブラッシュアップしていく必要はあるだろう。この対応を日本単独ではなく条件が近似するアジア各国も巻き込むことで、新たな市場創出を推進することが期待される。

特に足下の不確実性が高い外部環境を踏まえれば、1度決めた戦略に固執せずフレキシブルに修正する柔軟性と、その妥当性を国際的に説明していく姿勢が必要だろう。そのために、国・企業とも常に最新の動向変化をとらえ、トランジション戦略を継続的にブラッシュアップすることが求められる。

35 カーボン・クレジット

気候変動緩和に対する自主的な貢献手段として、民間主導での取り組みが広がる

カーボン・クレジットとはなにか？

国際的な脱炭素社会実現に向けた潮流の高まりを背景に、特に先進国企業等は気候変動の緩和の為にさまざまな貢献を行うことが求められている。カーボン・クレジットは、その貢献手段の一つとして近年活用が広がってきている概念だ。カーボン・クレジットは、省エネルギー化に向けた取り組みや再生可能エネルギーの導入、森林保全等さまざまな取り組みによる炭素排出の回避や削減、大気中の二酸化炭素の除去や吸収等の気候変動緩和への貢献を、t-CO_2単位で計測・検証し、取引可能な形態にしたものである。カーボン・クレジットの利用により、利用者は自社事業活動における温室効果ガス（GHG）の排出削減以外でも気候変動緩和に対する自主的な貢献を行うことが可能となる。

カーボン・クレジットの活用にあたっては、過度な利用によってGHG排出量削減に対する取り組みを妨げないよう、補完的位置付けでの活用が推奨されている。他方、特に多排出産業においては現時点で技術的・コスト的な観点からGHG排出量削減が困難なプロセスや製品が存在しており、カーボン・クレジットはこうした産業に追加的な気候変動対策の選択肢を提供する、という意義を持つ。さらに、先進的な気候変動対策目標を掲げる企業の中には、自社の事業活動のみならず自社のサプライチェーン全体からのGHG排出量への対応を打ち出しつつカーボン・クレジットの活用を組み込む企業や、過去のGHG排出量相当のカーボン・クレジットを購入・利用する企業等が現れており、気候変動緩和への多様な貢献の表現手段として活用されている。

また、カーボン・クレジット創出側にとっては、これまで資金不足等によ

り制約を受けてきた環境保全活動や低・脱炭素技術に関する研究開発が、カーボン・クレジットを通じた資金面の支援を受けることで活性化する可能性がある。こうした効果は、社会全体の観点での効率的なGHG排出量削減活動の推進やイノベーション促進等の面で意義深いものと考えられよう。

近年、民間運営主体によるカーボン・クレジットの発行量が活発化

カーボン・クレジットの気候変動緩和への貢献の測定は、一般的にはベースライン&クレジットと呼ばれる形態で行われる。これは、対象とする活動・プロジェクトが行われなかった場合のGHG排出量や炭素除去・吸収量の予測値をベースラインとし、当該活動等が実施されたことによる実際のGHG排出量や炭素除去・吸収量とベースラインとの差分、活動による改善効果等をt-CO_2単位で計測し、カーボン・クレジットとして認証するものだ。類似の枠組みとしてはEU、米国カリフォルニア州等ですでに導入されているキャップ&トレード型の排出枠取引の事例が挙げられるが、ベースライン&クレジットは一般的にキャップ&トレード型のような政府等当局による規制枠の設定がない、自主的な取り組みである点が特徴といえる。

ただし自主的な取り組みとはいってもその運用では品質の担保等の観点から、対象となる活動・プロジェクトの範囲や効果の測定・報告・検証にあたっての基準・方法論等が存在している。民間主導の取り組みとしては、国際NPOのVerraが運営するVerified Carbon Standard（VCS）やWorld Wide Fund for Nature等の国際環境NGOが開発したGold Standard等が著名である。

こうした民間運営主体のカーボン・クレジットの発行量は近年増加の傾向にある。2021年にVCS、Gold Standard等の主要な認証基準に基づいて発行されたカーボン・クレジットは約3億t-CO_2まで増加した（図1）。発行量増加の背景には、カーボン・クレジット利用の多様化による需要の高まりとともに、カーボン・クレジットを活用した環境価値付加型の商品やサービスの拡大の動きが存在する。たとえば、都市ガス業界や上流開発業界等では、海外から輸入するLNG（液化天然ガス）と、そのLNGの製造から燃焼までの過程で発生するGHG排出量相当のカーボンクレジットを組み合わせること

で環境への貢献を訴求したカーボンニュートラルLNGの取り扱いを拡大している。また、航空業界では航空便の利用客に対し、自身の利用によるGHG排出量相当のカーボン・クレジットの購入を選択できるサービスを提供している。その他、商社や金融機関等が海外の有力プレイヤーと提携して、顧客企業へのカーボン・クレジット提供手段を構築する取り組みや、総合商社が自社グループの運営するCO_2排出量見える化プラットフォーム上で小口のカーボン・クレジット提供を行う取り組みも出てきている。

民間での利用が広がるなか、日本政府も取引活性化を検討

民間でのカーボン・クレジットの利用が拡大するなか、日本政府もカーボン・クレジット取引の活性化を目指した検討を進めている。2021年8月に経済産業省が取りまとめた「世界全体でのカーボンニュートラル実現のための経済的手法等のあり方に関する研究会　中間整理」では、自主的なカーボン・クレジット取引を成長に資するカーボン・プライシングの一種として活性化していく方針を示し、カーボン・クレジットの位置づけの明確化とカーボン・クレジット市場の創設という二つの方向性を示した。

前者については、経済産業省としての基本的整理等を示した「カーボン・クレジット・レポート」を発表するとともに、今後産・官・学・金の各主体がグリーントランスフォーメーション実現の為の議論や市場創造の為の実践を行う場として構想された「GXリーグ」の中で議論が進められる方針である。また、後者については2022年9月以降カーボン・クレジット市場の技術的実証事業の中で、当初J-クレジットを対象とした取引所での試行取引が予定されている。いずれの検討もカーボン・クレジットの将来の需要の予見性向上、カーボン・クレジット創出・供給の拡大、流通・取引における透明性向上の為に必要な環境整備であり、日本がグローバル市場でのカーボン・クレジット取引活性化の動きと歩調を合わせ、市場の成長を取り込むための施策推進が期待される。

カーボン・クレジットの品質に関する議論は今後の注目点

気候変動対策の意義とビジネス面の可能性に注目が集まるカーボン・クレ

図1　カーボン・クレジットの発行量は近年増加傾向

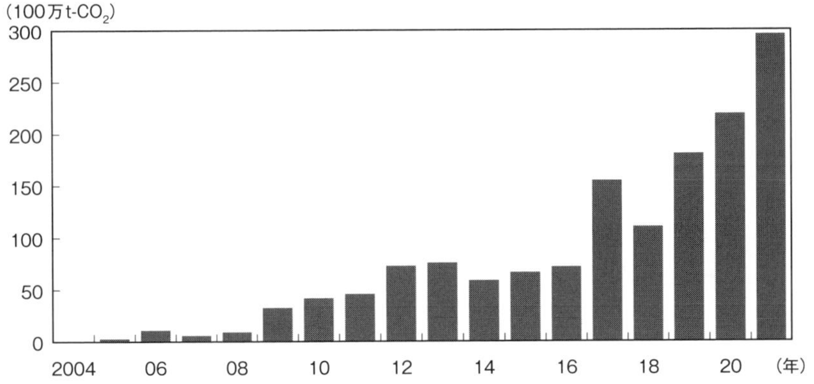

(注) VCS、Gold Standard、American Carbon Registry、Climate Action Reserveの合計
(資料) The Berkeley Carbon Trading Projectより、みずほ銀行産業調査部作成

ジットだが、プロジェクトの内容や創出・管理状況はそれぞれ異なり、近年その個別性を正確に理解、管理しながら活用する難しさが指摘されている。

今後の活用拡大の為には、いかにカーボン・クレジットの質を担保し、対外的に訴求するかが課題となるだろう。質を担保する為の基準の策定はこれまでも国際団体等によって試みられてきたが、最近では元英国中銀総裁マーク・カーニー氏の唱導で設立された国際タスクフォースとその後継組織により、高品質なカーボン・クレジットの基準と枠組みを示すCore Carbon Principles（CCP）の導入に向けた検討が進められている。また、各プロジェクトのモニタリングの高度化という観点では、衛星を使った追加情報等を提供するプラットフォーム企業も存在する。カーボン・クレジットの利用者はこうした情報も活用し、利用目的に合った調達を検討する必要があろう。

さらに、カーボン・クレジット利用の際は、サステナビリティ戦略の一環として対外的に透明性の高い開示をしていくことも重要だ。先進企業では、自社利用にあたってのクライテリアを開示することで透明性を高めている事例が存在する。各企業等がそれぞれの事業特性を踏まえた低・脱炭素戦略を策定し、その実行の中で透明性が高くカーボン・クレジットを活用するような環境が整えば、カーボン・クレジットの利用は一層広がっていくであろう。

36 ブルーエコノミー

持続可能な海洋利用

ブルーエコノミーとは

ブルーエコノミーとは、ゼロ・エミッション構想を考案したベルギーの起業家グンター・パウリが著書『The Blue Economy (2010)』で提唱した言葉であり、2012年の国連持続可能な開発会議(リオ+20)を契機に広く認識されることとなった。ブルーエコノミーは、漁業・養殖業のような伝統的な領域から、浮体式の洋上風力発電や海底鉱物資源等の新興・革新領域、温室効果ガス(GHG)吸収等の生態系サービスまでを包含する概念であるが、ここでは「海洋資源の利用が持続可能であるかどうかを決定する一連の経済部門および関連政策を含むもの」と定義したい。

なぜ「グリーン」ではなく「ブルー」なのか

環境問題への対策は「グリーン」と表現されることが多い。これに対して、陸上だけでなく海洋の経済的・環境的価値を適切に評価・利用すべきとの考えから、ここでは「ブルー」と表現している。

海洋の経済的価値としては、付加価値・雇用に対する海洋産業の寄与が挙げられる。OECDの試算によると、海洋産業の産出額は2010年時点で1.5兆ドル(世界の総付加価値の2.5%)、直接雇用者数は3,100万人となり、2030年時点ではそれぞれ3兆ドル、4,000万人に増加すると見られている。

また、海洋の環境的価値としてはGHGの吸収があり、海水や藻類等の植物がGHGを吸収するほか、植物が海底に堆積することで炭素が貯留される。その吸収量は年間28億トン程度(年間に排出されるGHGの26%)と、陸上での吸収量と同程度と言われている(図1)。

図1　温室効果ガスの吸収源

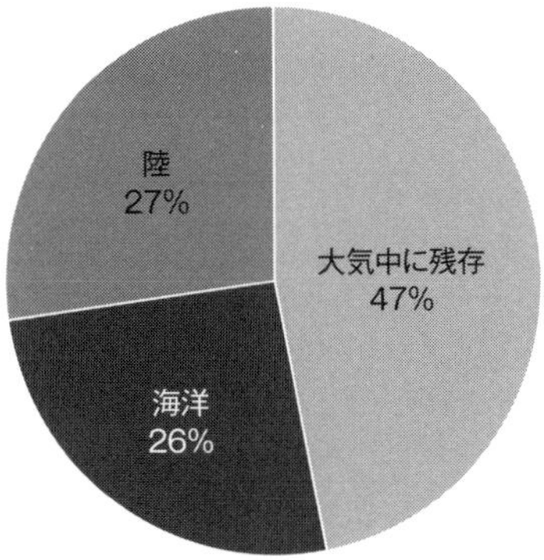

（資料）気象庁資料より、みずほ銀行産業調査部作成

一方で、海水に二酸化炭素が蓄積されることで海洋酸性化が進行しており、サンゴや貝類をはじめとする生態系への影響や、海洋のGHG吸収能力低下等が懸念される。また、漁業資源の乱獲や廃プラスチック等による海洋汚染も問題視されている。これらの課題に対処しつつ、持続可能なアプローチを模索することも、ブルーエコノミーの範疇となる。

海洋ポテンシャルの活用に向けた各国の取り組みは本格化

海洋ポテンシャルへの期待と海洋利用の持続可能性への危機感が高まるなか、ブルーエコノミーに関連した国際的な動きが活発化しており、2012年のリオ＋20以降、海洋に関して議論する会議は多く開かれている。なかでも、政府、経済界、シンクタンク、NGO等が海洋問題について協議する「Our Ocean Conference」や、政府関係者やビジネスリーダー、投資家、研究者、起業家等が議論する「World Ocean Summit」、SDG14の実施促進を目的に開催される「国連海洋会議」等は影響力が大きい。

また、国連においては、2021年からの10年間を「持続可能な開発のための国連海洋科学の10年」と定め、2030年に求められる海の姿を実現するのに必要な科学技術、データ、知識の偏在の解消を目指す取り組みが始まっている。この中では、技術の発展だけでなく、技術・データへのアクセス向上、開発途上国や小島嶼国での人材育成に向け、国家間での連携を推進している。

ブルーエコノミーの促進には、各国・地域ベースでの取り組みも加速する。EUでは、持続可能な海洋利用に資する政策やイニシアチブの開発を支援する目的から、欧州委員会が『The EU Blue Economy Report』を毎年作成し、ブルーエコノミーの経済的なインパクトを定量的に報告している。また、グリーンディール内では洋上風力や藻類を優先的な支援対象と定め、官としての資金支援を行うほか、「持続可能なブルーエコノミーファイナンス原則」を定め、民間投資を呼び込む仕組み作りも進める。

米国や豪州は、海洋生態系が取り込んだCO_2を指す「ブルーカーボン」を算定し、国の温室効果ガスの排出量・吸収量報告（インベントリ）に計上している。ブルーカーボンのインベントリへの計上は、パリ協定に基づく国が決定する貢献において多くの国が言及しており、海洋の環境的価値の評価に向けた動きは、今後本格化していくであろう。

日本は高いポテンシャルを活かす政策・制度設計が急がれる

海洋国家である日本は、領海と排他的経済水域を包含した面積が465万㎢（国土の約12倍）と世界6位の大きさを誇る。特に浮体式を含む洋上風力発電やコバルトリッチクラスト等の海洋鉱物資源が有力視されており、2030年時点でのブルーエコノミーの経済規模は28兆円と言われ、高いポテンシャルが期待される。

海洋政策推進においては、2007年に海洋基本法、翌年に海洋基本計画が制定され、海洋の産業利用促進、海洋環境の維持に向けた大方針が示された。個別領域では、2018年に再エネ海域利用法が制定され、洋上風力発電の普及に向けた制度設計がなされ、各海域で事業者選定の公募が進む。海洋エネルギー・鉱物資源開発の商業化に向けては、2019年に公表された海洋エネルギー・鉱物資源開発計画で、商業化に向けた課題や打ち手が整理されるほか、内閣府の戦略的イノベーション創造プログラムにおいて深海資源調査・回収技術の開発が進められる。

また、海洋の環境的価値の評価に関連した動きも進んでいる。グリーン成長戦略において、ブルーカーボンへの取り組みが明記され、環境省ではインベントリ計上に向けた算定方法の確立が急がれる。国土交通省では、藻場の保全等により創出されたGHG吸収量をクレジットとして認証し、GHG削減を図る企業等とクレジット取引を行う「ブルーカーボン・オフセット・クレジット制度」の構築が進められる。これらの取り組みにより、日本における海洋への投資リターンの見える化も進んでいくであろう。

ブルーファイナンスの拡大には投資の仕組みや規制の整備が課題

ブルーエコノミーに関連した資金調達を「ブルーファイナンス」と呼び、政府、銀行、民間企業、NGO等によって主導される。欧州委員会が、2018年に「持続可能なブルーエコノミーファイナンス原則」を公表したことを皮切りに、国連環境計画金融イニシアチブ（UNEP FI）が同原則を推進するためにブルーファイナンスイニシアチブを立ち上げ、2022年に投資ガイダンスとしての『Diving Deep』を発行した。国際金融公社（IFC）やアジア開発銀行も、それぞれブルーファイナンスに関するガイドラインやフレームワークを公表しており、金融界における国際的な仕組みづくりは進みつつある。

一方で、日本における取り組みはこれからである。海洋の保全や再生は利益が見込みづらく、投資インパクトを評価する手法やデータも未整備であったことから、投資家の関心が呼び込めず、調達事例もあまり出てきていなかった。今後、ブルーファイナンスの領域に投資家を呼び込むには、他の制度と整合的なフレームワークの導入とともに、ブルーカーボン・クレジット取引による採算向上、インベントリ計上に合わせたデータ提供の充実等により、従来の課題を解決することが重要となる。

ブルーエコノミーを追い風に

ブルーエコノミーは、カーボンニュートラルを目指すなかで不可欠な要素であり、今後さらに注目が集まるテーマとなろう。低採算となりやすい伝統領域、技術が未熟な新興・革新領域それぞれにおいて、環境的・経済的価値を見直し、「ブルー」とリブランディングすることで官民の投資を呼び込み、技術革新による経済の進展とともに、多くの海洋が健全に利用されることを期待したい。

37 ネットゼロ目標

SBTiによる企業のネットゼロ基準開発

企業による2050年ネットゼロ目標設定の広がり

2050年までに温室効果ガス（GHG）排出量を実質的にゼロ化する「ネットゼロ」あるいは「カーボンニュートラル」と呼ばれる、野心的な宣言や目標設定を行う企業が増加している。なお、本文ではネットゼロを「大気中に排出したGHG量と大気中から除去したGHG量の釣り合いがとれた状態」と定義する。

この背景には、政府や金融機関・投資家の動きが関係している。日本をはじめ多くの国がネットゼロ達成を目標に掲げており、2021年の第26回気候変動枠組条約締約国会議（COP26）では、世界全体でネットゼロ実現の必要性が合意された。各国政府はネットゼロ化を促進するための規制や優遇策を打出しており、企業はこれらに対応するために自身のビジネスモデルのネットゼロ化が求められている。また機関投資家や金融機関による、投融資に伴うGHG排出量のゼロ化を宣言する動きも急拡大している。企業はこれらの機関からの投融資を受け続けるために、自身のネットゼロ化の志向性を示さなければならない。つまり企業にはビジネスモデルの変革を示すために野心的な目標を掲げることが迫られており、その目標として多くの企業に採用されたものがネットゼロ目標である。

ネットゼロ目標は対象範囲と達成手段に論点

ここで注意したい点はネットゼロ目標の内容である。各社の目標を比較すると、特に対象範囲や達成手段に大きな差異が見つかる。実は、GHG排出量の実質ゼロを目指す点は共通だが、何を以て実質ゼロの達成とみなすか。

図1　SBTiのネットゼロ基準におけるネットゼロ達成経路の概念図

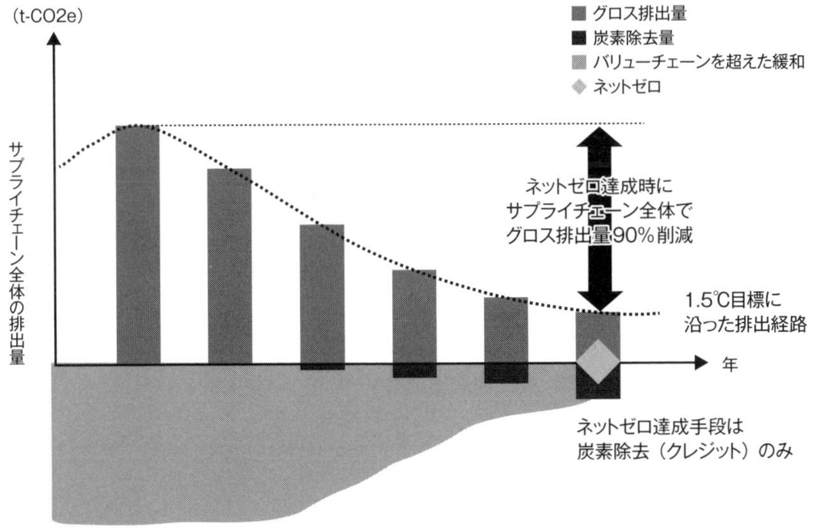

（資料）SBT Corporate Net-Zero Standard Ver1.0より、みずほリサーチ＆テクノロジーズ作成

その基準が統一されていないのだ。

仮に自社本位で安易な条件を設定し、それが外部の期待するネットゼロと大きく乖離したものであれば、折角のネットゼロ目標と取り組みが無意味なものになってしまう。こうした背景から企業のネットゼロ目標が満たすべき要件について、統一基準が求められるようになった。

SBTiは世界で初めてネットゼロ目標の設定基準を開発

企業間で大きな差異のあるネットゼロ目標において、統一的な基準をつくろうと動き出した国際イニシアティブがある。パリ協定に整合する企業のGHG削減目標SBT（Science Based Targets）の開発で知られるSBTイニシアティブ（SBTi）である。SBTは世界で1500社以上、日本でも200社以上の企業が認定を取得しており、広く普及している削減目標である。そのSBTを開発したSBTiによるネットゼロ基準であれば、ネットゼロ基準におけるデファクトスタンダードになる可能性は高い。

SBTiは2019年からネットゼロ基準の開発を始め、2度のパブリックコンサルテーションとロードテストを経て2021年10月に基準を公表した。

SBTiのネットゼロ基準の要求事項では、以下3点が特に重要である。1. ネットゼロの対象とする範囲はサプライチェーン全体の排出量。2. ネットゼロまでにグロス排出量の90%を削減。3. ネットゼロを実現する手段は炭素除去活動および炭素除去型クレジット。これらを踏まえたSBTiのネットゼロ基準におけるネットゼロ達成経路を示す（図1）。

SBTiによる野心的な要求

1点目について、ネットゼロ化の対象範囲を自社活動の排出量であるスコープ1・2排出量にとどめる企業が多い中、サプライチェーン全体にわたる排出量であるスコープ3排出量までを対象範囲に含める点で野心的な要求といえる。スコープ3を含めるということは、自身のサプライヤーにおいてもネットゼロを実現させる必要があるためだ。

2点目に関して、多くの企業はネットゼロを宣言しているものの、グロス排出量をどれだけ「削減」するかについて言及している例は非常に少ない。「削減」ばかりに取り組めば企業側のコスト負担は増大しかねないため、削減率まで明示していないのだろう。しかし、SBTiはネットゼロ達成までに90%のグロス排出量削減を求めており、野心的な要求と感じるかもしれない。

3点目に関して、ネットゼロ化の手段としての炭素クレジットの扱いは、企業の取り組みに影響するため重要な要素である。炭素クレジットはプロジェクトにより排出回避型と炭素除去型に分類できる。排出回避型クレジットは省エネ設備更新や再エネ発電設備導入等による削減量に基づくもの、炭素除去型クレジットは植林やDACCS（大気中CO_2の直接回収・貯留）等による除去量に基づくものを指す。排出回避型クレジットは、既存の炭素クレジットの大半を占め、低コストで調達しやすいために、排出回避型クレジットをネットゼロの達成手段としたい企業も少なくないのだ。しかし、SBTiはネットゼロの達成手段を炭素除去由来の炭素クレジットに限定している。

以上の3点からSBTiのネットゼロ基準は非常に厳しいものであると確認できる。

TCFD新ガイダンスにおける移行計画とネットゼロ目標

SBTiが統一的な基準として公表したネットゼロ基準は、TCFD提言への対応という観点においても重要だ。

TCFDは2021年に初めて附属書を改訂し、「指標と目標、移行計画ガイダンス」を公表した。東証プライム市場の企業においては、コーポレート・ガバナンスコード対応としてTCFD提言に基づく開示が求められるため、TCFDの改訂内容は押さえておきたい。

新ガイダンスから新たに、移行計画の開示が求められている。移行計画とは、気候関連リスクと機会に対する組織の事業戦略の一部であり、企業の低炭素経済への移行を支援する一連の目標と行動（GHG削減取り組みを含む）を示すものとしている。TCFDは移行計画において考慮する要素として、世界の温度目標（例：1.5℃）と整合した戦略であること、堅牢な気候科学に基づく定量的・定性的目標を含めること等を挙げている。これらについて、TCFDから詳細な説明は提示されていない。そのため企業側が解釈して開示をすることが必要だ。その際に、気候科学に基づく目標設定のイニシアティブと認識されているSBTiにより公表された基準との整合は、有力な説明方法の1つに位置づけられるはずだ。そのため、自社のネットゼロ目標がSBTiによるネットゼロ基準に整合していれば、自身の戦略・目標が世界目標である1.5℃水準に整合することを、投資家に対して端的に説明することができるだろう。

企業におけるネットゼロの行方

投資家・金融機関も企業のネットゼロ対応力を図る際に独自の基準を採用する動きもでている。政府の政策がSBTiの基準と整合するとも限らない。そのため、SBTiのネットゼロ基準への準拠が唯一の解とは言い切れない。

ただし、企業が独自の基準でネットゼロの宣言や実現に向けた取り組みを推進する道を選んだ場合にも、SBTi のネットゼロ基準が参考となることは間違いない。準拠するかどうかの最終判断は一旦横に置き、まずはSBTiのネットゼロ基準の内容把握と自社への適用検討から行うべきであろう。

38 大学ファンド

日本の大学の競争力向上に向けた取り組み

大学ファンドとその目的

2021年1月、国立研究開発法人科学技術振興機構法が改正された。同法では、科学技術振興機構（JST）に対して、大学の研究環境の整備と優秀な若年研究者の育成等に資する助成を行うこと、および、国立大学法人等から寄託された余裕金の管理・運用を行うこと、の二つの業務が新たに加えられた。大学・研究者への助成を行うために、政府から拠出された資金を加えた形で、JSTにより管理・運用される資金プールが、いわゆる、大学ファンドと呼ばれるものである。

日本の大学に対しては、良質な論文数の減少に見られるように研究力が低下しているとの懸念がある。また、博士課程に在籍する学生が減少していることや、任期が限定的な採用形態の増加により若手研究者のポストが不安定化していることなどから、大学の競争力が低下しているのではないかとの懸念が示されている。加えて、海外の大学と日本の大学との間で、研究環境の整備や学生及び優秀な若年研究者の育成等に活用するための資金力・財政面に関して、その格差が拡大する状況にも懸念が示されている。たとえば、ハーバード大学やイエール大学は、それぞれ、4.5兆円、3.3兆円程度の基金を有しており、それを、研究環境の整備や学生および研究者向けの支援などに活用している。一方で、日本の大学では、最大の基金を有する慶応大学であっても、その規模が730億円にとどまっている。

大学ファンド創設の目的は、これらの現状に対して、日本の大学を世界においてもトップクラスの研究大学に引き上げるために、財政・制度両面から強化を図ることだ。具体的には、JSTが大学ファンドを管理・運用し、その

図1　海外および日本の大学の基金規模

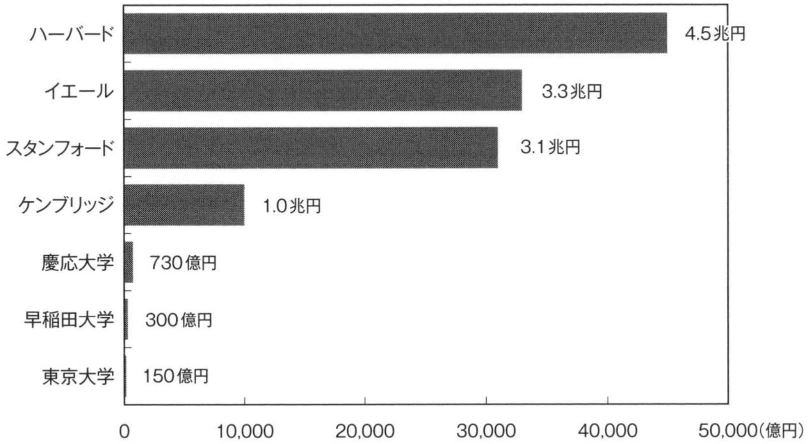

（資料）文部科学省より、みずほリサーチ＆テクノロジーズ作成

運用益をもとに、たとえば、大学等の共用施設やデータ連携基盤などの研究基盤に対して投資を実施することになる。また、博士課程に在籍する学生などの若手人材に対しても、長期・安定的な支援を実施する、としている。

なお、大学ファンドによる助成・支援は、24年度から開始される予定である。その対象となる「国際卓越大学」と呼ばれる研究大学は、国際的に卓越した研究成果の創出、自立と責任のあるガバナンス体制の構築、等の要件が設定された上で、今後、政府の有識者会議によって決定される予定だ。

大学ファンドは10兆円規模へ

JSTが管理・運用する大学ファンドは、政府出資0.5兆円、財政融資4兆円などをもとに、合計5.1兆円の運用規模で、22年3月より運用が開始されている。この運用規模は、早期に10兆円規模の運用資金を形成する、とされ、最終的には、かなり大きな運用規模を有することになりそうだ。

大学ファンドの運用目標、運用方法、リスク管理手法などは、JSTにより運用に係る基本方針が策定され、それに基づいて運用・リスク管理が行われる。

まず、運用目標であるが、JSTにより策定された基本方針では、JSTの大学への長期的な支出目標である3,000億円、すなわち、10兆円の運用規模でいえば3.00%に当たる支出目標率に、先行き25年間の物価上昇率推計値である1.38%を加えた合計4.38%が運用目標とされ、国内ファンドとしては、やや高めの目標が設定されている。

JSTの具体的な運用手法は、TOPIXといった株価指数などをベンチマークに設定した上で、それに連動する運用成績を目指すパッシブ運用とベンチマークを上回る収益の獲得を目指すアクティブ運用を併用する。その上で、実際の運用は、信託銀行や運用会社等の外部運用機関に運用を委託する外部委託運用と大学ファンド自らが運用する自家運用とを組み合わせる。

運用資産配分については、株式65%、債券35%のポートフォリオを参照ポートフォリオとし、それと同等の許容リスクの範囲内で可能な限り運用収益率を最大化することを目指した資産配分割合を定める。これを基本ポートフォリオとして資産運用を行うが、年次での定期的な検証を行うとともに、経済動向や市場動向の情勢を踏まえて適切なリスク分析等を行い、必要に応じて資産配分の見直し検討を行う。

JSTの運用資産は、株式および債券投資といった伝統的な資産への投資だけに限定されない。一般的に伝統的な資産よりもリターンは高いものの、リスクも高いといわれる不動産や未公開株といった資産への投資、いわゆる、オルタナティブ投資についても、リスク分散や長期的収益確保の観点から積極的に推進する予定だ。

公的年金の積立金を運用し、市場でも大きな注目を集める年金積立金管理運用独立行政法人、いわゆるGPIFの基本ポートフォリオが、国内債券、国内株式、外国債券、外国株式にそれぞれ25%ずつ配分するものであることを考えると、大学ファンドの資産配分は、株式の配分が多いなどの特徴がみられる。またオルタナティブ投資を積極的に推進することから、より高いリスクをとり、より高い投資成果を目指す運用といえそうだ。

大学ファンドに対する期待と懸念

大学ファンドが、目標どおりの運用を達成できた際には、長期的には年間

図2　大学ファンドの参照ポートフォリオ

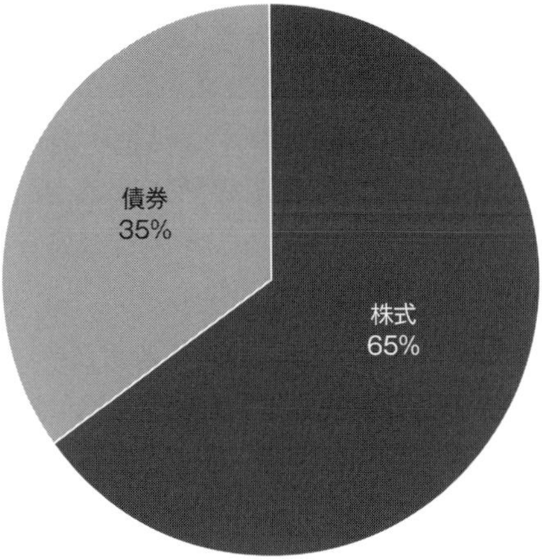

（資料）JSTより、みずほリサーチ＆テクノロジーズ作成

で3,000億円程度が対象となる「国際卓越大学」に助成されることとなる。対象の「国際卓越大学」にとっては、より充実した研究環境の整備や学生および優秀な若年研究者の育成などが行えることになる。結果として、日本の大学の競争力向上に資することになろう。

一方で、大学ファンドに対しては、懸念も存在する。たとえば、助成の対象となる「国際卓越大学」の数はそれほど多いものではない。また、対象とならなかった大学については、大学ファンドからの助成は行われない。すなわち、対象となった一部の「国際卓越大学」と対象とならなかった大学とでは、大学間の競争力の格差が拡大していくこととなる。

また、運用目標の実現可能性には懸念もある。前述のように、大学ファンドには、高い運用目標が課せられている。また、その目標を達成するために、相対的に高いリスクで運用することとなる。運用目標を達成できなかった場合や資産運用において損失を被った場合には、予定どおりの助成が行われない可能性もある。また、大学ファンドの資金が公的資金から拠出されていることを考えれば、大規模な損失により公的資金の毀損につながるリスクもある。

39 ビジネスと人権

ステークホルダーの声に耳を傾けながら、自社の状況に応じた段階的な取り組みを

「ビジネスと人権」への対応が世界的潮流に

現在、企業活動における人権の尊重、すなわち「ビジネスと人権」をめぐっては、各国で法規制が進み、その対応に向けてさまざまな議論が起きている。そもそも、「ビジネスと人権」とはどのような問題か。たとえば、児童労働や強制労働、宗教や国籍・ジェンダー等を理由とした差別等が挙げられる。わが国では、外国人技能実習生の問題も頻繁に指摘されているところである。新型コロナウイルス感染拡大による企業活動縮小の影響が、サプライチェーン上の脆弱な立場の人々へ及んだこと、またバイデン政権下でさらに米中対立が深刻化したこと等も相まって、企業活動における人権の尊重が、大きな潮流となっている。

企業が人権の問題に向き合ううえで悩ましいことの一つに、「自社の事業活動に関わるサプライチェーン全体を見渡して」その中から人権課題を特定し、対処しなければならない点が挙げられる。自社だけでなく調達先、顧客や地域社会も含めた課題の特定と対応策の導入は、当然容易ではない。

日本企業による人権対応の取り組みは途上

2021年に経済産業省・外務省が東証一部・二部上場企業等を対象として実施した調査によると、人権デュー・ディリジェンス（企業が人権課題を特定し、防止・軽減し、取り組みの実効性を評価し、対応状況を説明・情報開示するために実施する一連の行為。以下、「人権DD」と表記）を実施する割合は、回答者の約5割にとどまった。

さらに、人権DDを実施する場合にも、その対象としてサプライチェーン

図1　日本企業の人権に関する取り組みは途上

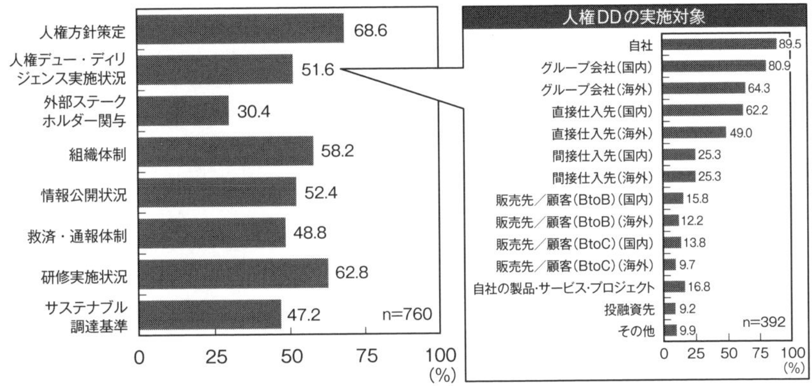

（資料）経済産業省・外務省「日本企業のサプライチェーンにおける人権に関する取組状況のアンケート調査」（2021年11月）より、みずほリサーチ＆テクノロジーズ作成

上の他社企業等を含める割合は6割以下と、高いとは言い難い（図1）。人権尊重の重要性は誰もが理解するところであるものの、取引先等を含めた人権DDの実施となると「何をどう進めればよいのか」「どこまでやればよいのか」等のさまざまな疑問にぶつかり、着手が難しいというのが実情であろう。

しかし、欧米諸国を中心とした法規制強化の動向等を受けて、グローバル・サプライチェーンを構築する企業では、自社の事業活動を維持するためにも、人権対応が待ったなしの状況となっている。また、そうした状況を受けて、彼らと取引のある企業等にも、要請の波が届きつつある。国内では、2022年9月に「責任あるサプライチェーン等における人権尊重のためのガイドライン」（以下、「ガイドライン」と表記）が公表された。同ガイドラインは、日本で事業活動を行うすべての企業が、人権尊重の取り組みに努めるべきと述べている。技能実習生の人権問題への言及も確認でき、今後数年の間に、日本企業における人権に関する取り組みは、中小企業等を含めて、急速に進展すると予想される。

人権対応をめぐる国際動向～輸出入規制と人権DD義務化

上述のとおり、「ビジネスと人権」に関する法規制等は欧米諸国が先行する状況であるが、規制の考え方やアプローチは、国により異なっている。たとえば、米国の人権対応は、輸出入規制を主眼としている。2022年6月施行のウイグル強制労働防止法（Uyghur Forced Labor Prevention Act, UFLPA）では、新疆ウイグル自治区に関連する製品の輸入を原則禁止とした。UFLPAの下では、米国税関・国境警備局（Customs and Border Protection）が、UFLPAの適用範囲内にあると推定される貨物を拘留、排除、押収／没収することができる。輸入者は、強制労働等に依拠した製品でないことを証明する明白な証拠を提出しなければ、輸入を認められない。なお、ウイグル自治区が関わる原材料や部品がわずかでも含まれていれば、措置の対象となる。

他方欧州では、予防的な措置として、人権DDを義務化する動きが広がっている。2022年2月に欧州委員会（European Commission）が公表した「コーポレートサステナビリティ・デューディリジェンス指令」の案は、従業員数や売上高等が一定以上の企業に対して、人権・環境に関するデュー・ディリジェンス実施を義務化するものである。本指令案が欧州議会等で承認されれば、これに基づき、各EU加盟国が人権DDを法制化することとなる。

なお、欧州各国の中には、ドイツやフランス等、既に人権DDに関する法令を整備している国もある。ただし、EUの指令が成立した場合には、同指令に適合させるための改正が行われる見込みである。各国の法規制は独自に制定・施行されているため、個別的な対応を求められる点に留意する必要がある。

自社の状況に応じた人権の取り組みを考える

企業における人権対応の手順は、国際スタンダードやガイドラインを踏まえると、図2のように整理できる。人権DDの実施においては、自社の業種や取扱い製品・サービス、事業活動に関わる地域等を加味しながら、潜在的なものも含めた自社の人権リスクを把握する。そして、人権侵害が顕在化している場合の対応に加えて、取引企業の行動規範や調達基準の策定、研修等による予防措置を講じることが求められる。他方、人権課題の早期発見・対応のために、人権侵害を受けた又は受ける可能性のある当事者（サプライヤー等の取引企業従業員を含む）が利用できる苦情対応の仕組みを用意するこ

図2　企業に求められる人権対応の標準的なステップは以下

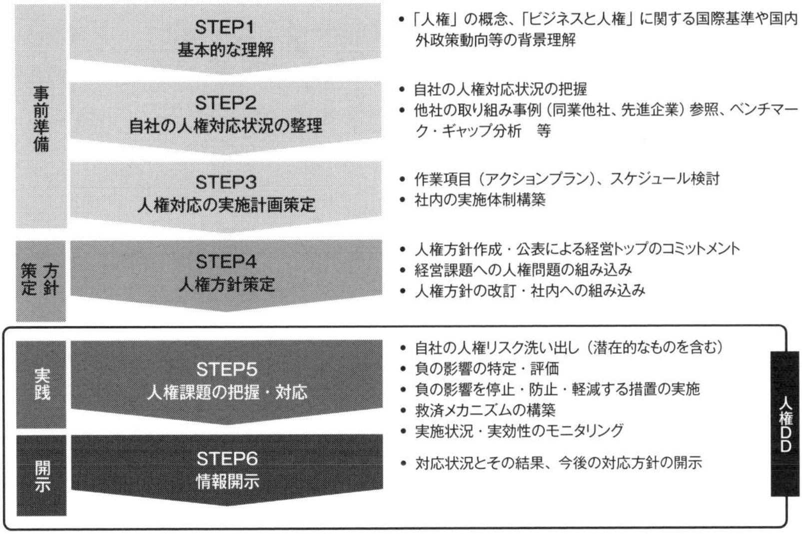

（資料）みずほリサーチ＆テクノロジーズ作成

とも肝要だ。人権の概念やリスクの深刻度合は社会情勢によって変化するため、外部有識者等の第三者による評価・助言も必要になる。

　このように述べると非常に壮大で、コストも労力もかかる取組のように思えるが、ガイドラインでも示されているとおり、「ビジネスと人権」への対応は、直ちに全ての人権課題に対処することを求めるものではない。課題の深刻度に応じて優先順位づけを行ったうえで、順次取り組むべきとされている。その際、「自社の人権課題とは何か」「より深刻度の高い課題とは何か」と悩む企業もあるかもしれないが、自社や取引企業の従業員、顧客や地域、投資家等の声を集めることで、ぼんやりと把握していた課題の輪郭がより明確になる場合も多いのではないだろうか。したがって、まずはステークホルダーとの対話を行い、そこで確認できた人権課題に取り組んでみることが重要だ。人権尊重の取り組みに正解はなく、またゴールや終わりがあるものでもない。経験を積む中で段階的に取り組みを進展させていくこと、そのプロセスを含めて対外発信に努める姿勢が求められる。

40 資産所得倍増プラン

成長と分配の双方に資する経済政策

貯蓄から投資へ大胆かつ抜本的なシフトを目指す

「岸田に投資を（インベスト・イン・キシダ）」。2022年5月5日、岸田文雄首相は英国の金融街シティーにおいて、資産所得倍増プランの構想を初めて明らかにし、海外投資家に日本への投資を呼びかけた。

同講演には、岸田政権の目指す「新しい資本主義」が、日本の成長や投資を積極的に促す政策であることを印象付ける狙いがあったとみられる。日本の個人金融資産を、貯蓄から投資へと大胆かつ抜本的にシフトする資産所得倍増プランは、その象徴的な政策として打ち出された格好である。

2021年10月に岸田政権が発足した当初、資本市場への規制強化と受け止められる政策が相次いで打ち出されたこともあり、「新しい資本主義」に対する資本市場の評価は厳しかった。金融所得課税の強化や自社株買いの規制、上場企業の四半期決算開示の見直し等の政策方針が発信されるたびに、日本の株式相場の下落圧力が強まるという局面が、岸田政権の発足以降、少なからず見受けられた。

実際には、「新しい資本主義」は「成長と分配の好循環」を重視した政策であり、必ずしも「成長」を軽視しているわけではない（表1）。資産所得倍増プランは成長と分配の双方に寄与する重要な施策の1つであり、「新しい資本主義」に対する資本市場の評価を好転させる可能性を秘めている。

資産所得倍増プランの概要

2022年6月に政府が閣議決定した「新しい資本主義のグランドデザイン及び実行計画」では、新しい資本主義に向けた4つの重点投資分野：①人への

表1 「新しい資本主義」に向けた重点投資分野

人への投資と分配

- 賃上げの推進
- スキルアップ
- **貯蓄から投資のための「資産所得倍増プラン」**

など

科学技術・イノベーション

- 量子技術
- AI実装
- バイオものづくり

など

スタートアップ・オープンイノベーション

- スタートアップ育成5カ年計画
- 付加価値創造とオープンイノベーション

GX・DX

- グリーン・トランスフォーメーション
- デジタル・トランスフォーメーション

（資料）内閣官房「新しい資本主義のグランドデザイン及び実行計画」より、みずほリサーチ＆テクノロジーズ作成

図1 家計の金融資産構成

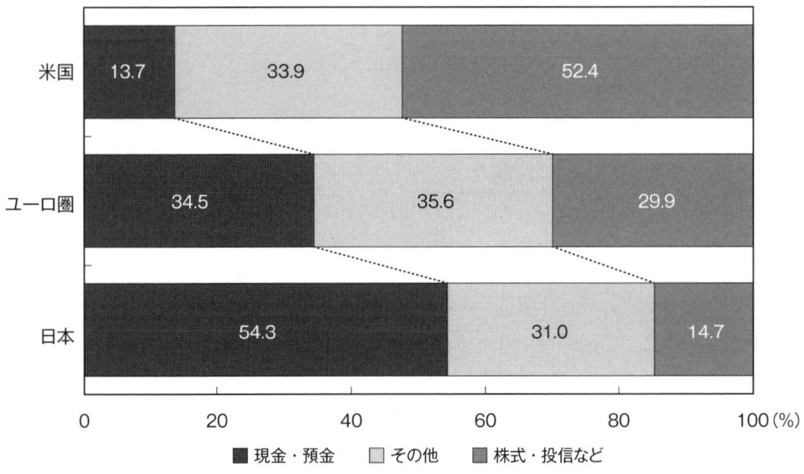

（注）2022年3月末時点
（資料）日本銀行「資金循環の日米欧比較」より、みずほリサーチ＆テクノロジーズ作成

投資と分配、②科学技術・イノベーションへの重点投資、③スタートアップの起業加速およびオープンイノベーションの推進、④GX（グリーン・トランスフォーメーション）およびDX（デジタル・トランスフォーメーション）への投資が示されている。資産所得倍増プランは、これらの重点投資分野のうち「人への投資と分配」の具体的な計画の1つに位置付けられる。

資産所得倍増プランの目的は、日本の個人金融資産2,000兆円の半分以上を占める現預金を投資に振り向けることで、持続的な企業価値向上の恩恵（株式・投信等の投資収益）が家計に及ぶ好循環を作ることにある（図1）。

現時点で示されている具体案として、NISA（少額投資非課税制度）の抜本的な拡充と、iDeCo（個人型確定拠出年金）制度の改革が注目されている。NISAの拡充が全世代に対する貯蓄から投資へのシフトであるのに対し、iDeCoに関しては、高齢者が現預金の過半を保有しており、かつ高齢者の就労機会が増えていることを念頭に置いた制度改革を目指している。

そのほか、高校生や一般の方に対する金融リテラシー教育の実施や、公的年金シミュレーターの民間アプリとの連携も、資産所得倍増プランの具体案として挙げられている。

政府は「新しい資本主義実現会議」に資産所得倍増プランの検討の場を設置し、2022年末までに同プランを策定する予定である。

NISAおよびiDeCoの課題と提言

NISAとは、株式や投資信託等の金融商品から得られた売却益や配当を、毎年一定金額に限り、非課税とする制度である。現在は3種類のNISA（一般NISA、つみたてNISA、ジュニアNISA）があり、それぞれ年間購入金額（非課税枠）や保有期間が異なる。このうちジュニアNISAについては、新規のNISA口座の開設が2023年までとなり、2024年以降は新規購入が不可となった。同時に、2024年から一般NISAが見直され、長期の積立投資・分散投資を促すべく、金融商品の買付け方法を積立投資と通常買付けの2階建て方式に変更する方針となっている。

一般NISAとつみたてNISAはそれぞれ購入金額や買付け方法、購入対象商品等が異なっており、かつ同一年中はどちらか一方しか利用できない。また、現行のNISAは制度根拠法を持たない期限付きの租税特別措置であり、長期・積立投資を推進するという制度の趣旨にそぐわない。

以上のような問題意識をもとに、日本証券業協会は、政府の「資産所得倍増プラン」に対し、①根拠法の制定によるNISA恒久化、②つみたてNISAと一般NISAを併用可能とする等の制度の簡素化、③年齢要件撤廃や投資対象拡大による利便性の向上、等を提言している。

iDeCoに対しても、さまざまな問題点が指摘されている。個人が任意で加入し、自ら運用方法を選択する私的年金制度のiDeCoには、掛金・運用益・給付のいずれも税制上の優遇措置がある。掛金は原則65歳になるまで拠出可能で、加入者は60歳以降に給付金を受け取ることができる。しかし、加入者の就労状況の悪化等の事情により、拠出額が少額にとどまるiDeCo加入者は、退職後に向けて十分な資産形成ができない可能性がある。また、法改正により高齢者の就業機会を70歳まで確保するべく企業に努力義務が課されたにもかかわらず、iDeCoの加入可能年齢は65歳未満にとどまっている。

こうした課題に対しては、一定年齢以上の退職準備世代に対する追加拠出枠（キャッチアップ拠出）の設定や、iDeCo加入可能年齢の拡大等が、前述の日本証券業協会および投資信託協会から提言されている。

金融所得課税とのバランスが重要

NISAやiDeCoに限らず、資産所得の拡大に向けたさまざまな提言が、多くの有識者や各種団体から発信されている。政府の「新しい資本主義実現会議」が、各種の提言を資産所得倍増プランにどう反映させるのかは、2022年末に予定されている同プランの策定・公表を待たなければならない。

ただ、「新しい資本主義」には依然として、金融所得課税の見直しや自社株買いの規制等、多くの市場関係者が資本市場にとって逆風ととらえている施策が含まれている。岸田首相は2022年の5月27日の衆議院予算委員会で、金融所得課税の議論が「決して終わったわけではない」と発言した。与党・自民党の税制調査会も、基本的に、金融所得課税を強化する方向で議論を進めている模様である。「新しい資本主義」が目指す「成長と分配の好循環」の実現は、資産所得倍増プランに対する岸田政権の取り組み姿勢にかかっている。

COLUMN

気になる経済統計データ（その4）

男女別賃金格差

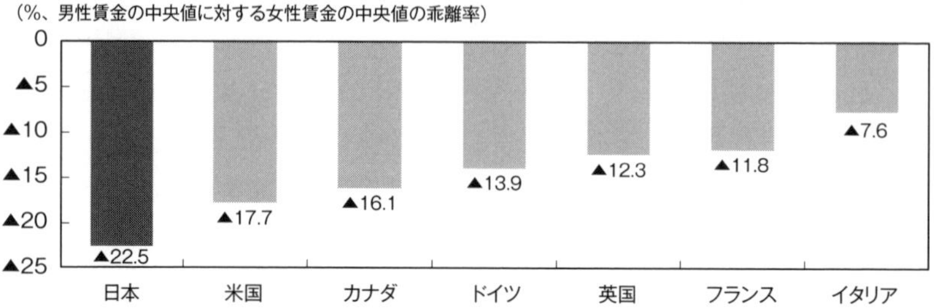

（注）正規・非正規雇用のフルタイム労働者が対象。日本、米国、カナダ、英国は2020年、ドイツ、イタリアは2019年、フランスは2018年の値
（資料）内閣官房 新しい資本主義実現本部事務局資料（2022年5月）より、みずほリサーチ&テクノロジーズ作成

◆上図は、男性の賃金の中央値に対して、女性の賃金の中央値がどれほど低いかを示している。日本では女性の賃金は男性の8割以下にとどまり、主要先進国の中で男女の賃金格差は最も大きい。データは正規および非正規のフルタイム労働者が対象であることから、日本の賃金格差の背景としては①女性の非正規雇用が多いこと、②正規雇用であっても女性の管理職への登用が進んでいないことなどが挙げられる。

◆男女賃金格差は、女性にとって活躍の場が限られていることを示唆する。企業にとっては、女性の人材活用が十分にできていないという意味になる。一方、機関投資家の7割近くが、「企業の業績に長期的には影響がある情報」として女性の活躍情報に注目している（内閣府調査）。

◆岸田政権は、女性の経済的自立を「新しい資本主義」の中核と位置づけ、男女賃金格差の解消に取り組んでいる。その一環として、2022年7月に女性活躍推進法を省令改正し、301人以上を常時雇用する会社に男女賃金差異の公表を義務づけた。実際の公表は2023年6月頃から求められ、企業に格差縮小を促す効果が期待されている。

第5章

ビジネス・社会がわかる10の論点

41　水素・アンモニア
42　メタバース
43　Web3.0
44　二次電池／次世代電池
45　NFT
46　FoodTech
47　DX
48　ヤングケアラー
49　心理的安全性
50　バッテリー電気自動車

41 水素・アンモニア

各国が相次いで政策を打ち出し、水素・アンモニア市場獲得に向けた競争が激化

さまざまな部門で活用可能なゼロエミッション燃料

水素・アンモニアは、燃焼時にCO_2を排出しないゼロエミッション燃料としての活用が期待される。現在はCO_2を排出する製法が主流だが、製造プロセスで再エネを利用したり、製造過程で排出されるCO_2を回収・貯留したりすることでカーボンフリーとなる。また、電力の貯蔵や、大量かつ遠隔地への輸送を可能とする特徴を有する。

こうした点を踏まえ、水素・アンモニアは、再エネの貯蔵や火力発電の脱炭素化、自動車・船舶・鉄道等輸送手段の脱炭素化、産業用熱利用の脱炭素化に有効な打ち手と期待されており、カーボンニュートラル実現に向けて鍵となるエネルギーとして世界的に注目されている。

世界各国は相次いで水素戦略を策定し、市場獲得に向けた競争が始まる

水素・アンモニアの利活用促進や供給拡大のため、世界各国は相次いで戦略を打ち出し、市場獲得に向けた競争が激化している（図1）。日本は2017年に世界に先駆けて水素基本戦略を策定した。その後2020年にグリーン成長戦略で水素・燃料アンモニアを重要分野の一つに位置付け、水素需要の目標を2030年に300万トン、2050年に2,000万トンと設定したほか、グリーンイノベーション基金にて多額の実証予算を配賦した。2022年にはクリーンエネルギー戦略の中間整理において、既存燃料とのコスト差を踏まえた支援措置や貯蔵タンク等共有インフラ整備の検討を行うことが示された。

EUは2020年に欧州グリーンディールの一環として欧州水素戦略を策定

図1　世界各国は相次いで水素戦略を策定

日本	✓2017年に「水素基本戦略」、2020年に「グリーン成長戦略」を発表 ✓2050年の水素需要を2,000万トン／年に設定 ✓今後既存燃料とのコスト差を踏まえた支援措置や貯蔵タンク等共有インフラ整備の検討が行われる予定
EU	✓2019年に「欧州水素ロードマップ」、2020年に「欧州水素戦略」を策定 ✓2022年にロシア・ウクライナ情勢を踏まえて「REPowerEU」を発表し、2030年までに域内の需要量を2,000万トン／年、うち海外からの輸入量を1,000万トン／年とする目標を設定
豪州	✓2018年に「水素ロードマップ」を、2019年に「国家水素戦略」を発表 ✓2030年までに水素産業で世界をリードするための57のアクションプランを示し、各州政府が資金供出等でプロジェクトを支援
UAE	✓2021年に2030年世界水素市場シェア25%を目指すと発表し、欧州や東アジアに輸出することを展望 ✓アブダビ国営石油（ADNOC）が水素生産量を現状の30万トン／年以上から50万トン／年への増産を計画

（資料）各種公開情報より、みずほ銀行産業調査部作成

し、グリーン水素の製造及び利用拡大を掲げた。2022年にはロシア・ウクライナ情勢を踏まえて、ロシア産エネルギーへの依存度を低減すべく、REPowerEUと称する政策パッケージを発表し、2030年における水素需要目標を2,000万トンに設定した。同時に、中東やオーストラリア、南米、アフリカの国々と覚書を締結し、将来の水素輸出国の囲い込みを始めている。

潜在的な水素輸出国と位置付けられるオーストラリアは、豊富なエネルギー資源を活かした水素の輸出強化を目的とした水素戦略を策定し、水素製造プロジェクトへの資金提供等を行っている。同じく豊富なエネルギー資源を有する中東諸国も、輸出を念頭に、国営企業が主導して水素・アンモニア製造プロジェクトを進めている。

水素・アンモニア市場の成長に伴い、事業機会拡大が期待される

IEAによれば、グローバルな水素需要（アンモニアを含む）は、2020年の約9,000万トンから、2050年には最大5.3億トンにまで成長すると予測されている（図2）。水素・アンモニア需要の拡大に伴い、燃料供給や関連機器の

製造やメンテナンスサービス等、水素・アンモニア関連産業の成長が見込まれ、企業にとっての事業機会拡大が期待される。

水素・アンモニアサプライチェーンは大きく上流・中流・下流に分けられ、企業にとっては、自社の強みを活かした取り組みが求められる（図3）。例えば上流においては、総合商社やエネルギー会社が、これまでのエネルギー供給にかかる実績・知見を活かし、海外の水素・アンモニア製造プロジェクトに多数参画している。中流においては、川崎重工は水素液化技術を活かし、液化水素運搬船や液化水素タンク等の開発に注力している。利用領域においては、トヨタ自動車はFCV開発で培った技術を活かし、燃料電池システムをパッケージ化したモジュールの外販に取り組む。JERAは電力業界の中で脱炭素フロントランナーとして石炭火力発電へのアンモニア混焼の実証に取り組んでおり、2020年代半ばには実証を完了する予定である。他方、欧州を中心に海外企業も水素関連事業に取り組んでおり、今後競争の激化が予想される。

水素・アンモニアの利用拡大を日本経済の成長につなげることが重要

日本での水素・アンモニアの社会実装に向けては需要・供給の両面で課題が存在している。まず、需要側から見ると、既存の化石燃料よりもコストが高く、利用に踏み切りづらいという課題がある。他方、供給側から見ると、本格的な利用が始まっていないため、大規模サプライチェーンが構築できず、スケールメリットによるコスト低減効果を得られないという課題がある。

世界的な水素・アンモニアの利用拡大を日本経済の成長につなげるためには、こうした課題を乗り越え、日本が水素・アンモニア産業において高いプレゼンスを確保する必要がある。企業は、水素・アンモニア利活用及びハンドリング技術の更なる磨き上げ、水素供給適地の囲い込み等が求められる。他方、政府は制度整備や需要創出支援、水素・アンモニア関連プロジェクトへのリスクマネー供給等で日本における水素・アンモニア市場の着実な形成を促すことが求められる。水素・アンモニアを巡る競争の中で日本が確固たる地位を築くために、官民一体での日本の水素産業競争力強化に期待したい。

図2　グローバルな水素需要は右肩上がりで増加する見通し（IEA）

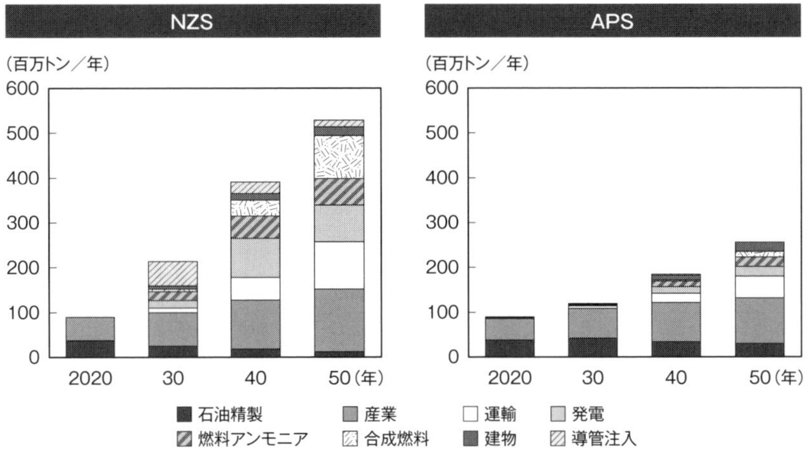

（注）Net Zero Scenario（2050 年世界ネットゼロを達成するためのシナリオ）に基づく需要予測
（資料）IEA、Global Hydrogen Review より、みずほ銀行産業調査部作成

図3　水素・アンモニアサプライチェーンは３つに分けられる

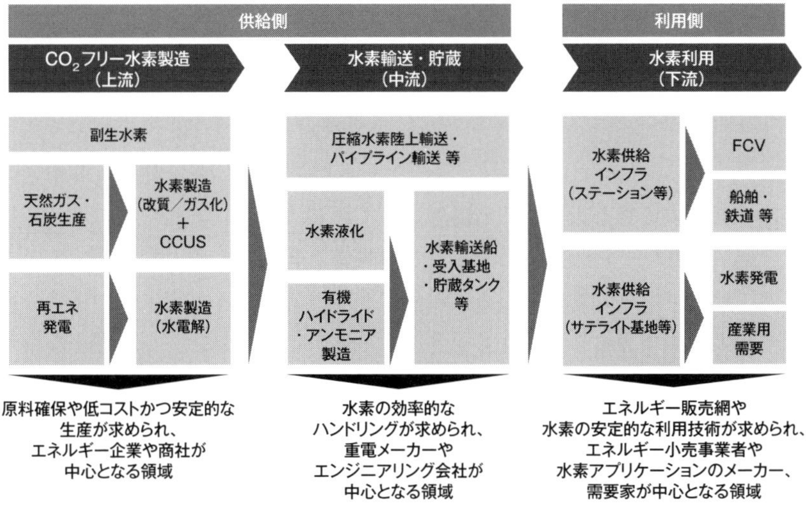

（注）CCUS：Carbon dioxide Capture, Utilization and Storage
（資料）みずほ銀行産業調査部作成

42 メタバース

生活様態の変化をもたらし、新たなビジネス機会を生み出す

メタバースの定義

2021年10月、米国IT企業GAFAの一角を占めるFacebook, Inc.が社名をMeta Platforms, Inc.に変更したことに前後して、メタバースという言葉が広く世界に認識されることになった。メタバースには、既に多くの人がさまざまな定義を付しているが、ここでは「誰もがフィジカルの世界と同等（またはそれ以上）のコミュニケーションや経済活動を行うことができるオンライン上のバーチャル空間」としたい。メタバースは、後述するように社会的な価値を生み出す可能性があり、中長期的な視点で人々の生活やビジネスの機会を考える際に無視できない世界であると考える。

メタバースの生み出す社会的な価値

メタバースは現時点ではまだ緒に就いた段階であり、「あつまれどうぶつの森」や「Fortnite」、「Roblox」等、ゲームに端を発して、遊ぶ・情報発信する・交流する等を行うものと認識されている。今後、人々が身に着ける端末や通信・サーバーといったインフラ環境が進化していくと、フィジカルの世界に存在するものを、そのままの形でかつリアルタイムにメタバースに再現することができるようになると考えられる。そうすると、さまざまな物理的な制約（距離・時間・身体的特徴・性別・年齢・国籍・金銭等）によりできなかったこと、あるいはできにくかったことが可能になる。たとえば、フィジカルの世界では時間的・金銭的な制約によりニューヨークに旅行に行くことができない場合でも、メタバース上であれば、移動時間無しに（あるいは短縮して）かつ低コストでニューヨークをそのまま再現した世界を楽しむ

ことができる。

さらに、メタバースの世界で過ごす時間が長くなればなるほど、フィジカルの世界における活動量はそれに対応して短くなる。取り扱いデータ容量が大きく増加して消費電力量が増えるという側面はあるものの、移動に伴い排出される二酸化炭素等の温室効果ガスの削減、フィジカルの世界で消費される物量の抑制等により、環境負荷を軽減する効果も考えられる。メタバース上でのアバターを通じた接客やマーケティング活動についても、フィジカルの世界と比べて必要となる労働力も少なくて済むため、危惧されている労働人口不足問題の解決に寄与するという面もある。

メタバースは本当に流行るのか？

このように社会的な価値をもたらし得るメタバースであるが、世の中に受け入れられることは可能なのだろうか。さまざまな見解があろうが、メタバースが流行する可能性は、少なくとも中長期的に見ると十分に高い。理由は以下の3点である。

まず、世代の推移が挙げられる。2050年には、ソーシャルネイティブと言われる1996年～2010年生まれのZ世代、さらにそれ以降に生まれたアルファ世代が経済社会の運営主体となる。新型コロナウイルスの影響もあり、現在においても放課後に「Roblox」で待ち合わせをして遊ぶといった行動もとるこれらの世代がけん引する世界では、メタバースは違和感なく受け入れられるであろう。

次に、テクノロジーの進化である。フィジカルの世界をメタバースに再現するには、サーバーでの超高速処理、基地局での超高速通信に加え、人間の五感や感情を感知したりフィードバックしたりするためのデバイスの進化が必要となる。半導体の微細化限界を超越するための先端パッケージ技術の進化やスマートグラス、ハプティクスといったデバイスの開発が進むことで、メタバースに没入するための環境が整備されていくであろう。

また、メタバースがソーシャルネットワーク機能を有する点も、普及を後押しする要素となる。2003年にLinden Labが開始したメタバースの一つであるSecond Lifeは、ソーシャルネットワーク機能をFacebook等の後発プラットフォームに取って代わられたことが衰退の一因とも言われている。メタバースにおいてフィジカルの世界をリアルに再現することが可能になれば、メタバースがソーシャルネットワーク機能を果たすようになり、コミュニケーションが行われる中心地となるであろう。

メタバースが普及した世界での生活はどのようなものになるか？

メタバースが普及して、フィジカルの世界を完全に再現できるようになっても、フィジカルの世界における行動がすべてなくなることはなく、それぞれを使い分ける生活が常態となると考えられる。

具体的には、いわゆる日常としての“ケ”に該当する行為はメタバース上で行われ、非日常としての“ハレ”に該当する行為の多くはフィジカルの世界で行われることが想定される。遊びを例にとると、放課後に仲のいい友人と遊ぶという行為はメタバース上で行われる一方で、夏休みに泊まり込みで海に出かけるという行為はフィジカルの世界に残るであろう。

メタバースが普及した世界におけるビジネス機会は？

また、メタバースは、インフラとして機能するという意味でのof メタバースと、メタバースによって変わる社会・行動に応じたサービスを提供するという意味でのbyメタバースの双方の観点でビジネス機会をもたらす。

ofメタバースとしては、先述したサーバー・基地局・デバイスといったハード面のほか、コンテンツ・プラットフォームといったソフト面の提供主体となったり、決済や送客といった付随するサービスを構築したりするビジネス機会が存在する。このようなレイヤーをまたいだ事業展開や、業種を越えた連携も、ビジネス機会を増大させるための重要な要素となろう。byメタバースとしては、短中期的にはメタバースをマーケティングツールとして利用し、長期的にはフィジカルとメタバースそれぞれの世界で生ずる需要を充足することが考えられる。（図1）では、食を例にとりビジネス機会を図示している。短中期的にはメタバース上で調理体験を提供して顧客需要を喚起し、フィジカルの世界で食品を提供する、長期的にはフィジカルの世界で完全栄養食を提供し、メタバースでは五感を刺激して食体験を実現する、といっ

図1　事例：メタバースを活用した食におけるビジネス機会

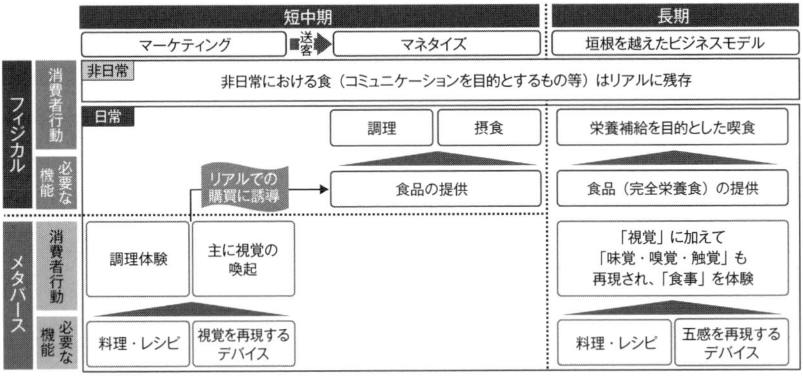

（資料）みずほ銀行産業調査部作成

た、双方の垣根を越えた取り組みが考えられる。

メタバース普及のために乗り越えるべきハードルは？

ただし、メタバース普及のために乗り越えるべきハードルは存在する。

まず、ルールの整備である。各種デバイスが進化することで、メタバースでアバターが暴力を振るわれた時に、フィジカルの世界でも物理的な痛みや精神的な苦痛がリアルにフィードバックされることも考え得る。国境を越えてさまざまな国籍の人が一つのメタバースに参加することが想定されるため、どのケースでどの国・地域の法律を適用するかを含むルールの整備が必要となる。

また、メタバース利用に際しての社会的コンセンサス作りも必要となる。たとえば、生後間もない赤ちゃんにスマートグラスをかけさせてメタバースの世界を体験させることを、倫理的にどうとらえるか。年齢制限をかけるのであれば、何歳からが妥当なのか。このような論点については、形式的ルール策定以前に、社会的に受容可能な範囲のコンセンサスを作り上げていく必要がある。

この点、2022年に開催されたダボス会議において、メタバースに関する官民の国際連携枠組みが立ち上げられたことは興味深い。利用者の安全確保に向けた議論が深まれば、メタバース普及を後押しするであろう。

43 Web3.0

サービス普及のカギは利便性の向上

各国が注目するWeb3.0

2022年3月に自由民主党NFT政策検討プロジェクトチームが公表した「NFTホワイトペーパー ～Web3.0時代を見据えたわが国のNFT戦略」は「Web3.0時代の到来は日本にとって大きなチャンス」という書き出しから始まる。時を同じくして米国ではバイデン大統領がデジタル資産の研究開発加速を命じる大統領令に署名したほか、2022年4月には英財務省が暗号資産の世界的ハブ国家になるための計画を公開するなど、各国がWeb3.0に注目している。仏マクロン大統領が、Web2.0時代と異なりヨーロッパが中心プレイヤーとなることへの期待を述べたように、こうした動きの背景には現在のGAFAを中心とする巨大IT企業の覇権がWeb3.0によって塗り替わることへの期待がある。

Web3.0の明確な定義は定まっていないが、中央集権型のWeb2.0と異なる、ブロックチェーンを基盤とする分散型の次世代インターネットとして提唱されている（図1）。Web2.0を代表するGAFAのサービスは、利用されるほど利便性が高まり、彼らに利益が集中していく構造である一方で、ユーザーへの利益の直接的な還元がないことに加え、ユーザーは彼らの定めた運営方針に従わざるをえない。一方、Web3.0では、サービスを利用するなどしてサービス発展や利益に貢献したユーザーに対して、暗号資産供与等を通じて利益や運営権利を付与する構造となっている。例えば、広告を見たユーザーに対し暗号資産が還元されるブラウザサービスや、暗号資産保有者が、保有割合に応じて運営方針への投票権を得られるゲームなどが登場している。こうした金銭的メリットや運営関与がユーザーから支持されることで、今後

図1　Web3.0は分散型の次世代インターネット

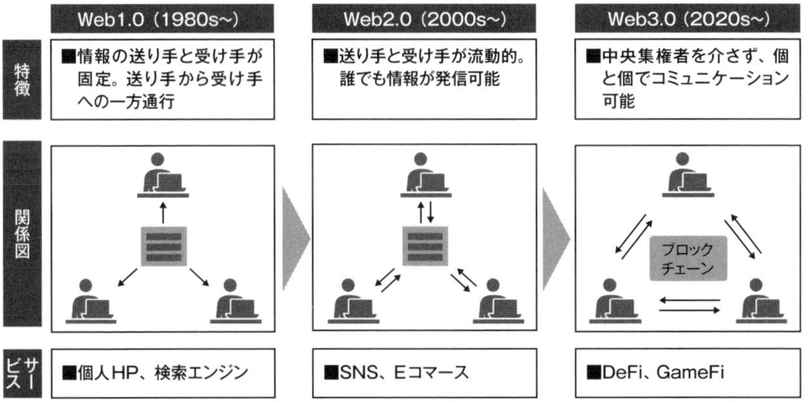

（資料）みずほ銀行産業調査部作成

さまざまなWeb3.0型サービスの台頭が期待されている。

Web3.0を実現する中心機能

Web3.0はブロックチェーン技術が基盤となっているが、その中でも重要な機能を3点取り上げたい。まず分散管理システムである。これは多数のユーザーが全取引を記録し続けることで、不正や改ざんを許さない取引を可能にする仕組みであり、企業や国といった中央管理者が不在でも、信頼性の高いシステムが構築可能となった。次に、スマートコントラクトである。これは契約とその履行条件をあらかじめプログラミングしておくと、契約条件が満たされた際に自動で取引が行われるような仕組みであり、中央管理者が不在でも機能するアプリケーションが開発可能となった。最後にトークンである。トークンは、さまざまな意味で使われることがあり明確な定義はないが、Web3.0の文脈では、ブロックチェーン技術を利用して発行された仮想通貨を指すことが多い。中央管理者が不在のままでサービスを維持・発展させていくためには、それに貢献した当事者へのインセンティブが不可欠となる。ブロックチェーンにおいてマイナーがビットコインを報酬として得ることはよく知られているが、ブロックチェーン上で開発されたアプリケーションにおいても、維持や発展に貢献した当事者にトークンを付与する仕組みがスマートコントラクトによって定められている。ブロックチェーンに紐づいたビットコインや、イーサリアムに紐づいたイーサはネイティブトークンと呼ばれるが、例えるならば日本円を基盤とした電子マネーのように、イーサリアム上のアプリケーションもイーサを基盤として各サービスに特化したさまざまな名称のトークンを発行している。

このようにブロックチェーン技術を基盤とした、分散管理システムとスマートコントラクト、そしてトークンインセンティブを中心機能として、非中央集権型のサービスが実現できるようになった。

Web3.0サービスの浸透には利便性の向上が必要

上記のようなWeb3.0型サービスを提供するアプリケーションは、分散型アプリケーション（Decentralized Application：DApps）と呼ばれる。またDAppsの運営主体は、分散型自律組織（Decentralized Autonomous Organization：DAO）と呼ばれ、スマートコントラクトで定められたルールの下で、トークン保有者によって運営される。Web2.0型アプリケーションはDAppsに変わり、それらの運営主体であった巨大企業はDAOに変わっていくというのが、近時注目されているWeb3.0の世界観であり、ゲームチェンジとされる所以といえる。

しかしながら、現状においてWeb3.0を牽引しているのは、それが提供する新しい価値というよりも、ゲームチェンジへの期待を背景とした投機的需要と考えられる。仮想通貨市場の時価総額（各仮想通貨の流通量×価格の合計）は2021年9月に過去最高の3兆ドルに到達したものの、2022年6月には1兆ドルを下回るまで落ち込み、価格の変動は極めて大きい。またゲーム領域におけるWeb3.0型サービス（Game Finance：GameFi）は「Play to Earn」というフレーズで話題を呼んだが、現在はトレーディングカードやキャラクター育成など静的なジャンルのゲームが大半であり、主なユーザーも高いゲーム性を求めるWeb2.0型ゲームのメインプレイヤー層とは異なり、金銭的報酬を求めるアジアの低所得者層である。このように、金銭的動機に依存し、Web2.0型サービスと比べて利便性が大きく劣後したWeb3.0サービスでは、ゲームチェンジとなりえないだろう。

他方、近頃Web2.0型サービスからシェアを奪っているWeb3.0型サービスとしてBraveが挙げられる。Braveは検索ブラウザでありながら、ユーザーが広告を見る対価としてトークンを獲得できる機能が設定されている。2019年に1,100万人だった月間アクティブユーザーは2020年に2,400万人、2021年に5,000万人に到達している。開発者のブレンダン・アイク氏は検索ブラウザFirefoxを提供するMozillaでCTOを務めていた技術者であり、Braveはブラウザとしての性能も非常に高い。このように、Web2.0型サービスと同等以上の利便性や機能を有したWeb3.0型サービスであれば、今後拡大していくことが期待される。

Web3.0拡大に向けた課題

最後に、上述の通りWeb3.0型サービスがWeb2.0型サービスと同等以上の利便性や機能を提供するために解決すべき課題を簡単に取り上げたい。

まず、スケーラビリティ問題（1つのブロックの中に書き込める取引データ数が限られていることで、処理速度の低下や、取引手数料の高騰が発生）に代表されるブロックチェーンの処理能力向上が必須となる。最近では、レイヤー2と呼ばれる、ブロックチェーンの外で計算処理等を行い、最終的な結果のみをブロックチェーンに記録する方法の開発等で、少しずつ改善されている。動作の快適さにおいて、Web2.0型アプリケーションにDAppsが近づくことが期待される。

次に、課税制度をはじめとする法整備が期待される。トークンやDAOの法律上の位置づけが定まらなければ、ユーザー・開発者双方のWeb3.0サービスへの移行を妨げることとなる。また、特に日本ではトークンを発行した法人や、トークンを保有する個人への課税率が高く、サービスが発展しにくい状況となっている点についても規制緩和が望まれる。

Web3.0サービスはWeb2.0サービスと全く異なるサービスではなく、Web2.0サービスから中央集権のデメリットを取り除いたサービスというのが、あるべき姿だといえよう。長期的な目線で上記課題の解決を待ちながら、Web3.0を代表するサービスが日本から誕生することを期待したい。

44 二次電池／次世代電池

便利・サステナブルな社会の実現に向け必要性が高まる

高まる二次電池の重要性

二次電池とは蓄電池とも呼ばれ、繰り返し充放電が可能な電池の総称である。なお、放電のみができる使い切りの電池は一次電池／乾電池と呼ばれる。エネルギーの一形態である電力を有効に活用できるようにしたという点で画期的な発明であり、とりわけ高容量・高出力を可能としたリチウムイオン電池（LiB）の開発には、2019年にノーベル化学賞が授与されている。

世界的なカーボンニュートラルの潮流の中で、二次電池の重要性は益々高まっている。カーボンニュートラルの達成にはあらゆる取り組みが必要であるが、太陽光や風力等の再生可能エネルギーの有効活用や、自動車の駆動に用いられている化石燃料の代替など、二次電池の活用領域は今後益々広がっていくとみられる。IEA（International Energy Agency：国際エネルギー機関）によれば、世界の蓄電システム容量は2015年の2.2GWから2020年に17.0GWまで増加した。2050年にGHG（Greenhouse Gas：温室効果ガス）の排出を実質ゼロとする「Net Zero Scenario」においては、2030年までに585.0GWの累積導入が必要であると予測されている（図1）。

二次電池の進化と社会生活の変化

二次電池にはリチウムイオン電池のほかにも、鉛蓄電池（Pb）やニッケル水素電池（Ni-MH）など複数の種類が存在する（表1）。二次電池の歴史は思いのほか古く、鉛蓄電池は1859年にフランス人のガストン・プランテにより発明されたと言われている。据置用、可搬用の電源として用いられていたが、1950年以降のモータリゼーションの進展に伴い、自動車のエンジン始動

図1 IEA「Net Zero Scenario」における蓄電システム導入容量予測

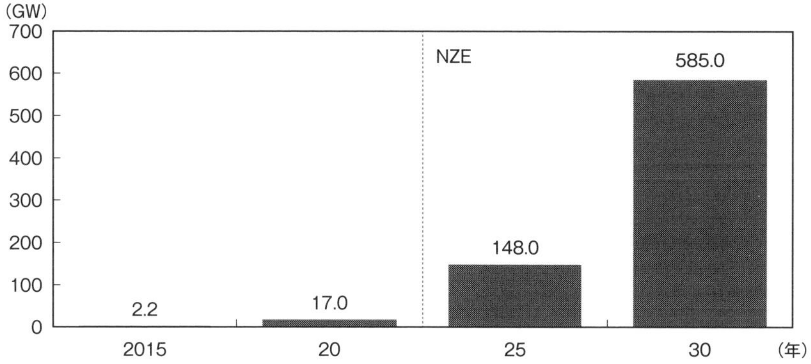

（資料）IEA資料より、みずほ銀行産業調査部作成

表1 主な二次電池の種類

電池種類	略称	公称電圧	特徴
鉛蓄電池	Pb	2V（単セル）	• 正極：酸化鉛、負極：鉛、電解液：硫酸 • 低コスト、高信頼性
リチウムイオン電池	LiB	3.6～3.7V	• 正極：Li酸化物、負極：炭素、電解質：有機系電解液 • 出力・エネルギー密度ともに高くコンシューマエレキ製品で広く普及。車載、蓄電システム用でも採用が拡大
ニッケル水素電池	Ni-MH	1.2V	• 正極：Ni化合物、負極：水素吸蔵合金、電解液：アルカリ水溶液 • 小型ではNiCdからの置き換え、大型ではHEVで利用
ニッケルカドミウム電池	Ni-Cd	1.2V	• 正極：Ni化合物、負極：Cd、電解液：アルカリ水溶液
NAS電池	NAS	2V	• 正極：硫黄、負極：ナトリウム、電解液：V固体セラミック • Pb対比でコンパクトかつ軽い。作動温度が高く加温が必要
レドックスフロー	RF	1.2～1.6V	• 正極・負極：バナジウム、電解液：バナジウム水溶液 • 放電サイクルに制限なく、不燃性で安全性高い

（資料）みずほ銀行産業調査部作成

用途として鉛蓄電池は急速に普及し、現在でも自動車エンジン始動用二次電池の主流となっている。ニッケル水素電池は、1990年に松下電池工業、三洋電機が相次いで量産化した。鉛蓄電池に比べエネルギー密度が高く、小型化・軽量化が可能となったことから、1990年以降の携帯電話、ノートパソコン、デジタルカメラなどに代表される小型電子機器の普及に重要な役割を果たした。自動車用でも、世界初の量産ハイブリッド車（HEV）であるトヨタのプリウスに採用されるなど、その用途を拡大させてきた。

リチウムイオン電池は、1991年にソニー・エナジー・テックが世界で初めて量産化した。ニッケル水素電池を超えるエネルギー密度を有し、スマートフォンやウェアラブル端末に代表される電子機器の更なる小型軽量化、高機能化に大きな貢献を果たした。リチウムイオン電池は材料や構造の改良により、現在もその性能を改善し続けており、電池のみで駆動するバッテリー電気自動車（BEV）やESS（Energy Storage System：蓄電システム）用二次電池の主流となっている。

二次電池の歴史と搭載されてきたアプリケーションを概観すると、二次電池の進化が我々の社会生活をいかに変えてきたかが分かる。例えば1985年に発売された携帯電話（ショルダーホン）は重量約3kgであったが、1991年に発売された超小型携帯電話mova（ムーバ）シリーズの端末は約230gと小型・軽量化した。なお、2008年に発売されたiPhone 3Gの重量は133gである。二次電池の更なる進化は、コンタクトレンズ型のウェアラブル端末実現や建設機械・船舶・飛行機の電動化など、我々の社会生活を益々変容させる可能性を秘めている。

次世代電池の必要性

現在主流の二次電池であるリチウムイオン電池は、鉛蓄電池やニッケル水素電池といった従来の二次電池に比べ各種特性に優れるものの、安全性・エネルギー密度の更なる向上や、資源リスクへの対応といった課題も存在する。

リチウムイオン電池は部材である電解質に可燃性の有機溶媒を使用しており、異常発熱・発火に伴う火災事故等と無縁ではいられない。また、現行材

図2　主な次世代電池の種類

主な次世代電池	
全固体リチウム二次電池	►無機固体電解質の適用による安全性、耐久性、入出力特性等の向上
リチウム硫黄二次電池	►高容量の硫黄とリチウムの組合せによる高エネルギー密度化
ナトリウムイオン電池	►ナトリウムは資源量豊富
カリウムイオン電池	►カリウムは資源量豊富
多価金属負極二次電池	►資源量が豊富な金属を負極活物質に用い、多電子酸化還元反応により高エネルギー密度化
フッ化物二次電池	►資源量が豊富な金属のフッ化・脱フッ化反応（多電子酸化還元）により高エネルギー密度化
金属空気二次電池	►空気の正極活物質利用による高エネルギー密度化

（注）上記以外にも次世代電池はさまざまな種類・呼称が存在する
（資料）経済産業省資料より、みずほ銀行産業調査部作成

料によるエネルギー密度の改善は理論限界に達しつつあると言われている。さらに、材料として使用されるリチウムやニッケル、コバルトはレアメタルであると同時に、埋蔵量・産出が特定の地域・国に偏るなど、資源枯渇・偏在リスクを有する。

こうした課題への対策として、難燃性の固体電解質を用いた全固体電池や、新たな正極材・負極材を採用した新型リチウム・非リチウムイオン電池など、次世代の二次電池開発が世界中で進められている（図2）。

また、冒頭に示したとおり、カーボンニュートラル実現に向け二次電池の必要性は高まるものの、その価格はカーボンニュートラルに伴うコストでもある。このため、二次電池を安価かつ大量に供給することも社会的に重要な課題となっている。

二次電池の進化はアプリケーションの進化をもたらし、ひいては我々の社会生活をより便利に、よりサステナブルにしていくと考えられる。現行リチウムイオン電池の改良、あるいは次世代電池の開発においては、技術面での更なるイノベーションに加え、大量の社会実装を踏まえた価格面での革新にも期待したい。

45 NFT

デジタルデータを活用した新たなビジネスの動向に注目

NFTは経済的価値のみならず非経済的価値を兼備

Non-Fungible Token（非代替性トークン、以下NFT）という、「ブロックチェーンの活用により唯一性と真贋性が保証されたデジタルデータ」を用いたビジネスの動向が注目される。

NFTの代表例としてはデジタルアート作品が挙げられるが、従来、このようなデジタルデータは改ざんや複製が比較的容易であり、価値がつきづらいものとして認識されてきた。しかし、NFTの登場によりデジタルデータも取引対象として認識されるようになり、現在では、「NFTマーケットプレイス」（例：OpenSea）と呼ばれるプラットフォームにおいて、NFTの発行や売買が行われることも珍しいことではなくなった。また、NFTは、その希少性から投資対象として認識されやすいことに加えて、暗号資産価格の高騰とも相まって、NFT元年とも称される2021年のNFT販売高（CryptoSlam調べ）は、前年の約0.3億ドルから約195億ドルへと急拡大した（図1）。

しかし、景気減速懸念を背景に投資家のリスク回避行動が強まるなかで、Ether等の暗号資産の価格が暴落（いわゆる「暗号資産の冬」）するに伴い、2022年半ば頃からはNFT販売高は急減に転じている。一見すると、NFTブームに陰りが生じているようにも読み取れるが、NFTは経済的価値のみならず実用性等非経済的価値を兼備しているものであるため、販売高の推移のみからビジネストレンドの趨勢を判断することは適切ではない。また、NFTが社会から本格的に注目され始めてからまだ2年程度しか経過しておらず、NFTを活用したビジネスやそれを取り巻く環境は依然として発展途上の状況にある。

図1　NFT販売高の推移

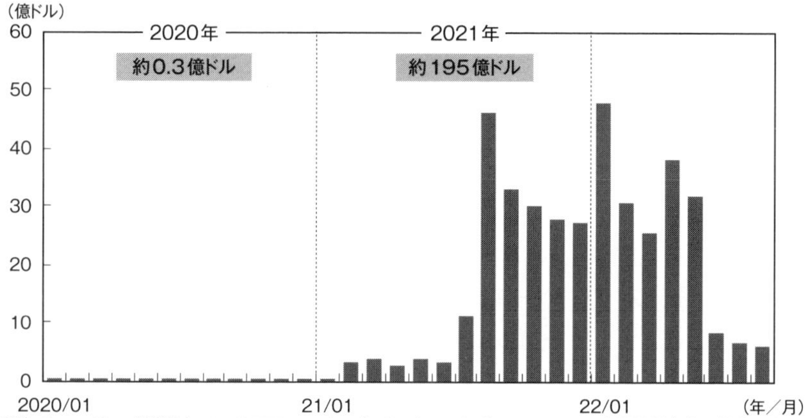

（注）CryptoSlamが捕捉しているNFTマーケットプレイスにおける、NFTの二次流通販売高の推移。また、データは本稿執筆時点のもの
（資料）CryptoSlamより、みずほ銀行産業調査部作成

マーケティング戦略の一環としてのNFTの発行

NFTの非経済的価値等に着目した新しいビジネスの展開がさまざまな業界で試みられており、NFTに関する企業の取り組みの動向は依然注目に値する（図2）。

まず、NFT発行企業の動向である。コンテンツ業界に属する企業のみならず、アパレルや自動車メーカー等の多様な業界に属する企業がNFTの発行を進めている。基本的なビジネスモデルは、NFTの販売収入とロイヤリティ収入（NFTの二次流通時に、販売高の一部がNFT発行者に還流することにより得られる収入）の獲得となるが、上記ビジネスの展開を通じた新たな収入源の確立にとどまらず、マーケティング戦略の一環としてNFTを発行する事例が散見される。

目的は、ファンコミュニティの形成やNFT保有者に対する特典（イベント参加権等）の提供を通じた顧客エンゲージメントの向上と差別化の推進、商品・サービスのPR等多様である。たとえば、高級ファッションブランドの伊Dolce&Gabbanaは、NFT「DGFamily Boxes」を発行するとともに、同

NFTの購入者が入会可能なコミュニティ「DGFamily」を運営している。同コミュニティに属する会員は、実物のアパレル商品やリアルイベントへの招待券等の取得が可能となる。そのほかにも、たとえば米NBAは、NFTトレーディングカード「NBA Top Shot」を展開し、同NFTを保有しているコレクター同士がDiscord上でコミュニケーションが取れるようにしている。

元々、NFTは、投資家や著名人等の富裕層やNFTコレクター、コンテンツのファン等、特定の層から注目されてきたものであったため、これらの層をターゲットとした取り組みが比較的多い状況にある。他方で、アサヒ飲料が約30万枚のNFTトレーディングカードを発行して販促キャンペーンを実施した事例もあり、今後は、同社が取り組んだような、幅広い層に向けたNFTの発行が進むかどうかが、NFT市場の成長・拡大の鍵となろう。

NFT周辺ビジネスのユースケースの蓄積も進展

次に注目されるのは、NFTの発行企業や保有者に対するソリューション提供等の、NFT周辺ビジネスを展開する企業の動向である。

NFTの発行企業や保有者向けのサービスは、NFTの資産管理、ドメイン登録、レンタル等多様だが、たとえば、三井住友海上火災保険は、国内初となるNFTアート専用の保険サービスを展開している。同サービスは、アート作品を取り扱う国内のNFTマーケットプレイス「HARTi」における出品者向けサービスとして展開されており、第三者の不正アクセスによって「HARTi」からNFTアートが流出した際に、出品者の損害を補償するというものである。NFTマーケットプレイスにおいては、ハッキングによるNFTの盗難被害が相次いでいるが、NFT保険サービスはNFT取引にかかるリスクの軽減に資するものとして注目されている。

その他、高い改ざん耐性を有するというNFTの性質を活かしてユニークなサービスを展開する事例もある。たとえば、国内のWeb3.0系ベンチャー企業のa42（エーヨンジュウニ）は、スマートロックシステム「w三lock」（ウィーロック）を展開している。同サービスは、NFTの所有者にのみスマートロックの操作を許可するというものであり、ユーザー認証や入退場の効率化が図られている。

図2　NFTビジネスの概要

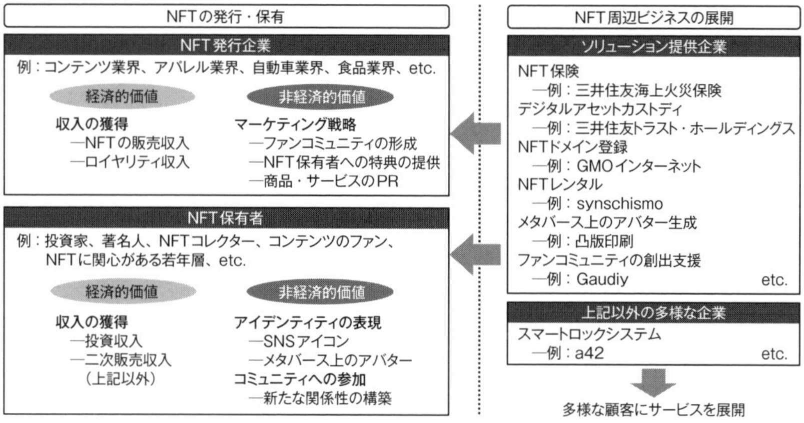

（注）本稿執筆時点で、今後事業展開を予定している企業を含む
（資料）公開情報より、みずほ銀行産業調査部作成

NFTの普及に向けた取り組みが肝要

世界最大・最古のNFTマーケットプレイス「OpenSea」の本拠地である米国においてでさえ、NFT保有率は2.8％（2021年、Finder調べ）と低く、また、日本における同比率は2.2％と、米国を含むほかの先進国と同様に低い状況にある。世界的に、NFTの普及は黎明期にあると考えられ、今後はその普及に向けた取り組みを進め、市場の創設を図ることが肝要となる。

たとえば、NFTマーケットプレイスを運営する企業が、NFT取得時の決済を暗号資産のみならずクレジットカードにおいても可能とする等、ブロックチェーン等に詳しくない層も参入しやすいサービスを展開し、NFTにアクセス可能な層の拡大が図れるかどうかが鍵となろう。

個人も、NFTの保有により、アイデンティティの表現（例：SNSアイコンへのNFTアートの使用、メタバース内の自身のアバターへのNFTファッションアイテムの着用）やコミュニティへの参加等の非経済的価値を享受し得る。今後は、投資家等の富裕層だけでなく、デジタルネイティブなZ世代等も市場のけん引役となることが期待される。

46 FoodTech
最先端技術がもたらす新たな「食」

世界から注目を浴びる取り組み「FoodTech」

既存産業とデジタル技術が融合し革新的な商品やサービスを生み出す「X-Tech（クロステック）」という取り組みが活発化している。その中でもフードチェーン全体を変革するFoodTechが注目を集めている。

全世界におけるFoodTechへの投資額は、2014年に前年の約3倍となって6,000億円を超えたことを皮切りにその後も年々増加を続け、4年後の2018年にはさらにその3倍以上にまで達した。急激な増加の裏には、アマゾンやアップル等の大手テクノロジー企業の積極的な投資もあるが、「食」が生活における基本要素の一つで、人間にとって必要不可欠であることから、食糧不足等の人間の根源を揺るがす社会課題の発生や深刻化が懸念されるため、FoodTechへの期待が高まっている側面もある。

FoodTechには、「食品」の製造を対象とした狭義の用法もあるが、本書では「食品」に係るフードチェーン全体（生産から廃棄・再加工まで）を対象とした広義の用法について解説する（図1）。

FoodTechが求められる背景と加速させるファクター

FoodTechが求められる背景として、「食糧不足と飢餓増加」、「フードロスの増加」、「菜食主義の増加」、「食の安全」、「人材不足」という世界的な5つの社会課題が挙げられる。

この中で、特に関心度が高いのは「食糧不足と飢餓増加」と「フードロスの増加」であろう。日本の人口は減少しているが、世界人口は未だに増加しており、2050年には97億人に達することが予想されている。人口が増えれ

図1　FoodTechの広義的な定義

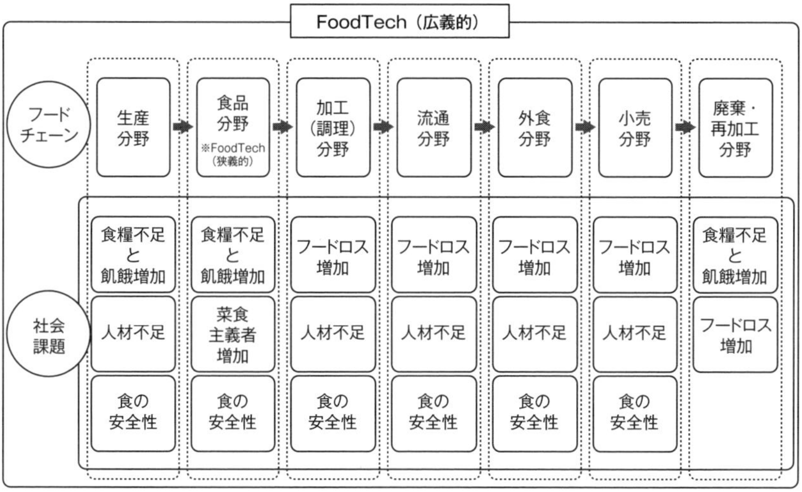

（資料）みずほリサーチ＆テクノロジーズ作成

ば供給が追いつかず食糧不足が課題となる。2021年時点で8億1,100万人を超える飢餓に苦しむ人々がさらに増えることにつながり、生産性が高い新しい食品や、効率的かつ大量生産可能な方法等が必要とされている。一方で、世界の食品廃棄は1年間あたり13億トンを超え、食品生産量全体の1/3にもなる。現状廃棄されてしまっている食料をいかに減らし、有効活用していくかも、解決しなければならない社会課題である。

日本では特に「人材不足」の問題が深刻化している。少子高齢化が進み労働者人口が減少していることから、ロボット等を活用した自動化による省人化や無人化が求められている。

「Sustainable Developments Goals（持続可能な開発目標）」（SDGs）への注目の高まりもFoodTechを後押ししている。SDGsには、「飢餓をゼロに」等FoodTechと関わりが強い目標も含まれ、個人や企業が積極的に活動し始めている。さらに、新型コロナウィルスの拡散による新たな生活様式への変化が外食業界を中心に「食」の在り方を見直すきっかけとなったことも、FoodTechへの注目につながっている。

日本も含めた世界における取り組みの現状

このような背景を受けてFoodTechの各分野でさまざまな取り組みが行われている（図2）。その中で最も活発なものは、「食糧不足と飢餓増加」を解決する手段の一つである「代替タンパク質」の開発であろう。動物の細胞を培養する「培養肉」や昆虫を原料とする「昆虫食」があるが、植物性原料から植物肉を生み出す「植物性タンパク質」が最も有名である。「植物性タンパク質」は以前から取り組まれてきた製品だが、肉としての再現性が低く消費者に受け入れてもらえなかった。技術の発展によって、本物の肉のデータをあらゆる角度から取得・分析することで、最近では見た目も味も再現性が高まっていることに加え、「菜食主義の増加」がもたらす栄養摂取の偏り等健康問題の指摘もあり、市場へ普及し始めている。

また、「廃棄物の増加」に対しても多くの取り組みが実施されている。その中で注目されているのが、廃棄する食品を新たな食料として循環させる「サーキュラーフード」という取り組みである。廃棄物を餌としてコオロギを養殖して「昆虫食」を生み出したり、提携したホテルやレストラン等から余剰食材を回収して飲料へ生まれ変わらせたりする試みがある。従来、廃棄物自体を少なくするために、保存期間を延ばす等の取り組みは実施されてきたが、循環させるという発想は新しく、今後の可能性が期待されている。

植物工場という次世代ファームも、安定的な供給を実現することによって「食の安全」の解決を試みている。露地栽培等の現状の生産方法は、台風等の天候に左右されて一時的な供給不足等を起こしやすい。閉塞的な空間で栽培される植物工場ではこのような事態を防ぐことができる。また、都市近郊での栽培も可能となり、販売価格低下という消費者へのメリットも得られる。

日本で注目される「人材不足」に対しては、作業を代替してくれるロボットの活用が目立つ。生産分野では「ロボットトラクター」に代表されるようなロボット農機の活用が活発であり、外食分野では調理や配膳等を行うロボットが増え、すべてをロボット化したレストランの実証実験が行われている。これらは一例にすぎないが、画像やセンサー等のデータを正確に取得し、AIも駆使して人間の動作を再現したり、最適な動作を実現したりするこ

図2　FoodTechへの取り組み（一例）

（資料）みずほリサーチ＆テクノロジーズ作成

とでロボットの活用範囲が広がっている。

新商品やサービスの普及実現を阻害する課題と解決の方向性

FoodTechの取り組みの中に社会問題を解決し、大きなイノベーションを起こしそうなものが数多くある。これらの普及を阻害している大きな要因はコストだが、技術発展による解決が進んでいる。先に挙げた「培養肉」は構想された2013年当初は一つのハンバーガーのパテを作るのに3,000万円以上のコストを要したが、現状は技術発展に伴い15円まで下げる算段ができている。

また、スマートサプライチェーンのように複数の分野に跨る取り組みにおいては、分野間でデータが標準化されておらず、共有できていないことが大きな課題となっている。デジタル技術を駆使するFoodTechにおいてデータは不可欠なものであり、そのデータが収集できないからである。標準化には、現状の状態を確認しつつ、共有に必要な項目を整理していくデータマネジメントや官民が一体となり普及を促す等の地道な取り組みが必要になる。

これらの課題を解決し、FoodTechがさらに進展することで、飢餓減少や安全性向上等、より良い未来を「食」から実現していくことが期待されている。

47 DX
今求められているデジタルリスクマネジメント

DX推進の機運

デジタル技術の進展によってビジネスモデルや業務プロセスの大転換が起きており、業種・業容を問わずDXに対応していくことが必要不可欠となってきた。2018年に経済産業省から「DXレポート」が公開されたことや、2021年9月にデジタル社会実現に向けた推進役としてデジタル庁が設置されたことにより、民間企業のみならず公的機関においても、DXの取り組みが加速している。

デジタル技術を取り巻く問題

DXの取り組みとして新たなデジタル技術を導入することにより、既存のシステムでは想定していなかったリスクも顕在化してきた。たとえば、新たに開発され約30の自治体が利用していた行政手続きアプリは、マイナンバー情報を入力、読み取って、自動で本人確認を実施するサービスであったが、マイナンバー法に抵触して炎上、アプリ更新までサービス停止することとなった。また、画像データ判別AIにて、学習データの偏りが原因で、利用者の性別によって著しく偏った結果を出力し、人権問題に発展した事案や、アクセス権限等の設定不備が原因でパブリッククラウド上に保存していた個人情報が漏洩した事案も発生している。さらに、昨今急増しているランサムウェアによる被害、ウクライナ侵攻におけるサイバー戦等のサイバーリスク、改正個人情報保護法による越境データ移転の規制強化やペナルティ強化等の個人情報保護リスクもあり、経済安全保障や社会的な情勢変化による法制度対応の観点からも、より一層のリスクマネジメントが求められている。

図1　デジタルトランスフォーメーション（DX）とデジタルリスクの関係性

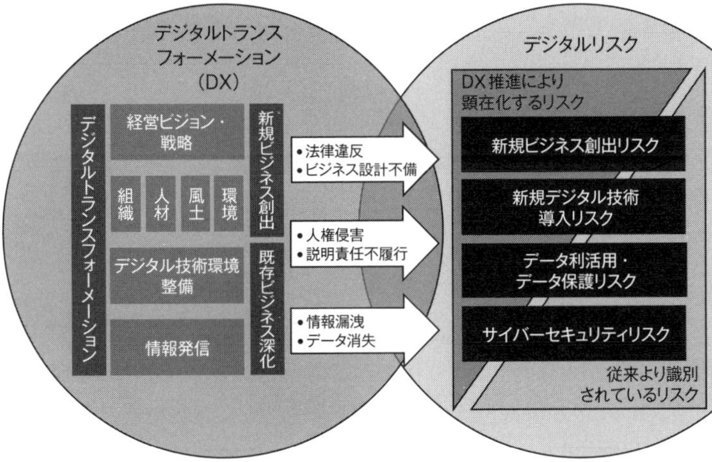

（資料）みずほリサーチ&テクノロジーズ作成

図2　デジタルリスクに求められる観点

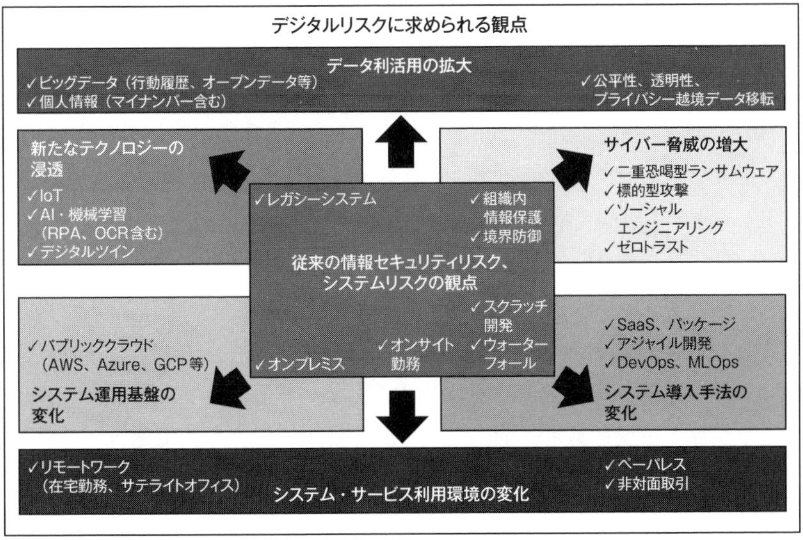

（資料）みずほリサーチ&テクノロジーズ作成

企業・組織が取り組むべきデジタルリスクマネジメント

デジタル技術はビジネスモデルや業務プロセスに密接に関係しており、DX推進に伴う新たなリスク（デジタルリスク）が顕在化した場合、サプライチェーンや業務プロセスの中断・停止、レピュテーションの毀損といった企業経営の根幹に大きな影響を及ぼす可能性がある。以下に、DXの推進によって顕在化するデジタルリスクと、企業・組織が取り組むべき対応（デジタルリスクマネジメント）について紹介する。

「①新規ビジネス創出リスク」への対応

新規ビジネスに取り組む上で、業務、プロセス、組織、風土、環境を越えて変革・改革することにより生じる新たなリスク（新製品、新サービスが法規制に抵触していないか等）を評価する仕組み・プロセスが必要となる。

「②新規デジタル技術導入リスク」への対応

新たにAIやクラウドサービス等のデジタル技術を導入することにより、発生し得る透明性（結果の説明責任、検証可能性）や公平性（人種差別、人権侵害）、プライバシー等、個々の技術特性に応じたリスクを適切に評価できる仕組み・プロセスが必要となる。

「③データ利活用・データ保護リスク」への対応

新たな付加価値創造のための多種多様・大量データの利活用に係る個人情報の取り扱い、外部委託先（データアナリスト、データサイエンティスト等）の管理不備による情報漏洩等のリスクを考慮する必要がある。また、パブリッククラウド上で個人情報等を取扱うリスクを考慮する必要がある。

「④サイバーセキュリティリスク」への対応

二重恐喝型ランサムウェア等のサイバー攻撃の高度化・巧妙化により、業務影響の被害が甚大となっているなか、サイバーセキュリティに係る統制（ルール策定、運用、評価等）を実施する必要がある。

このうち①新規ビジネス創出リスク、②新規デジタル技術導入リスクは、新たな業務領域へのチャレンジや新技術の導入によって高まるリスクであるため企画段階から情報収集する等の対応が必要だが、先行する事例のないような新規性の高い領域では、特に法規制の入念な確認だけでなく、必要に応じて経済産業省のグレーゾーン解消制度等を活用してみるのもよい。③データ利活用・データ保護リスク、④サイバーセキュリティリスクは、ビジネスを続けるにつれてデータの蓄積量や適用範囲が拡大するため、従来から認識されたリスクであっても、その脅威は高まる傾向にある。また、サイバー攻撃については、手法が高度化・巧妙化する点にも留意すべきである（図1参照）。

デジタルリスクをマネジメントする観点は多岐にわたり、利用するデジタル技術等によって、考慮すべきリスク観点や不正事案を防止するためのアプローチも異なる（図2参照）。そのため、DXを推進するには、従来のリスクマネジメントの枠を超えて、新たに導入する技術や手法を網羅的にカバーできるような対応を行う必要がある。

デジタルリスクマネジメントプロセス

デジタルリスクのマネジメントは重要であるものの、ルールを厳格に決定するまでDXに取り組めないとすれば、時代の潮流に乗り遅れ市場や顧客を失ってしまう。テクノロジーの利活用とリスクマネジメントは車の両輪のように同時に取り組む必要がある。そのプロセスは、試行フェーズ（ルールの確立・経営層の関与）、確立フェーズ（ルールの正式化・現場担当者への意識浸透）、成長フェーズ（全社的リスクマネジメント手法の確立）、定着フェーズ（マネジメントプロセスの確立）の手順で進め、経営層も関与しつつ企業・組織としてリスクマネジメントを高次に発展させることが望まれる。

なお、リスクマネジメントに係るルールや制度は一度制定したら終わりではなく、状況に応じて迅速に判断し意思決定するOODAループによるルール改善、新技術導入に係る新ルール策定、外部有識者による知見等を踏まえて適宜ルールに反映させていくことが重要である。

VUCAな時代を生き抜くためにDXに取り組む企業が増加しているが、DX推進の取り組みのなかで、リスクマネジメントの分野は置き去りにされやすい。しかし、デジタルリスクへの対応が遅れると企業経営の根幹が揺らいでしまう。重大なインシデントを引き起こし、社会的な信用失墜につながってしまう前に、優先度を上げて適切なリスクマネジメントを行うべきである。

48 ヤングケアラー

多様なヤングケアラー・若者ケアラーの声に耳を傾けて

ヤングケアラー・若者ケアラーとは

厚生労働省が設置している、ヤングケアラーについての特設ホームページ「子どもが子どもでいられる街に。～みんなでヤングケアラーを支える社会を目指して～」では、「本来大人が担うと想定されている家事や家族の世話などを日常的に行っている子ども」をヤングケアラーとして説明している。ただ、「本来大人が担うと想定されている」「日常的に」という表現が具体的にどの程度を指すのかは明記されておらず、また、法令上の定義もない（令和4年現在）。

厚生労働省と文部科学省が令和2年度に行った実態調査では、「世話をしている家族がいる」という生徒が中学2年生では 5.7％、全日制の高校2年生では 4.1％いることが明らかになった。また、「世話をしている家族がいる」生徒のうち、中学2年生の20.1％、全日制高校2年生の16.6％が「やりたいけれどできていないこと」として、「自分の時間がとれない」ことを挙げている。さらに、「宿題をする時間や勉強する時間がとれない」と回答した生徒の割合は、中学2年生では16.0％、全日制高校2年生においては13.0％であった。これらの結果からは、家族の世話をすることが子ども自身の生活の質、さらには進路選択にも影響を及ぼす可能性があることが窺える（図1）。

また、18歳からおおむね30歳代までのケアラーを想定した言葉として、「若者ケアラー」というものがある。先行研究においては、子どもから大人への移行過程でケアを担うことにより、進学や就職等のキャリア選択、恋愛・結婚等その後の人生を左右する事柄に影響が出ること、ゆえにこの年代に特化した支援が必要であること等が指摘されている。

図1　世話をしているために、やりたいけれどできていないこと

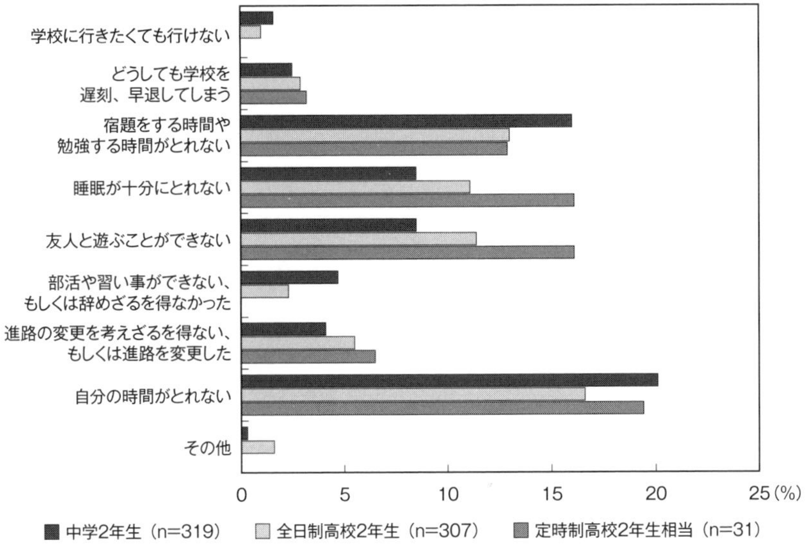

（資料）厚生労働省「ヤングケアラーの実態に関する調査研究 報告書」より、みずほリサーチ＆テクノロジーズ作成

国・地方自治体による支援の方向性

ヤングケアラー・若者ケアラーへの支援策を整えることは、日本社会における重要な課題であったが、長きにわたり、それは有識者等の間でのみ認識されてきた。しかし、令和3年3月、埼玉県で全国初のケアラー支援条例が成立したこと等をきっかけに状況は一変する。世間一般からより一層の注目が集まったことを背景に、国や地方自治体が、ヤングケアラー・若者ケアラー支援の体制整備を加速させ始めたのだ。

たとえば最近では、令和4年度診療報酬改定の中で、医療機関が介護保険施設や教育機関と連携してヤングケアラーを支援した場合に、診療報酬を加算する仕組みが設置された。具体的には、入退院支援加算の算定条件として定められた「退院困難な要因」の項目として、「家族に対する介助や介護等を日常的に行っている児童等であること」「児童等の家族から、介助や介護等を日常的に受けていること」の2点が追記されている。このことをきっかけに、医療機関においてもヤングケアラーに対する認知度が上がり、教育・児童福祉セクター等との連携支援が進みやすくなることが期待される（図2）。

また、国の方針に沿って、あるいは先駆けて、多くの地方自治体が実態調査や支援研修の実施に乗り出してきた。その成果を基盤に、令和4年現在では複数の自治体が、ヤングケアラー・コーディネーター（関係機関－民間支援団体等のパイプ役）や専門相談窓口の設置等の支援策を展開している。

ヤングケアラー・若者ケアラーであることは「悪いこと」？

ヤングケアラー・若者ケアラー支援に注目が集まるなかでは、「子ども時代に家族のケアを担うことは、機会の損失につながる」とも受け取れるメッセージが度々発されてきた。たとえば、前述の厚労省特設ホームページには、下記のような文言がある。「ヤングケアラーは、年齢等に見合わない重い責任や負担を負うことで、本当なら享受できたはずの、勉強に励む時間、部活に打ち込む時間、将来に思いを巡らせる時間、友人との他愛ない時間…これらの「子どもとしての時間」と引き換えに、家事や家族の世話をしていることがあります。」

しかし、厚労省は、ヤングケアラー・若者ケアラーとしての経験を「悪いこと」として否定しているわけではない。同ホームページに掲載された、成蹊大学文学部現代社会学科教授 澁谷智子氏へのインタビュー記事には、以下のような但し書きがなされている。「家事や家族の世話などを若い頃に担った経験をその後の人生で活かすことができている、と話す元ヤングケアラーがいることも事実です。」

令和3年以降、ヤングケアラー・若者ケアラーの存在に世間の注目が集まるなか、元当事者が講演活動を行ったり、メディアの取材を受けたり、政策提言に関わったりすることが盛んになってきた。当事者が発信する経験や想いからは、子ども・若者時代に家族のケアを担うことにはプラス・マイナス両方の影響があり、それらは分かちがたくつながっていることが窺える。

図2　入退院支援の評価

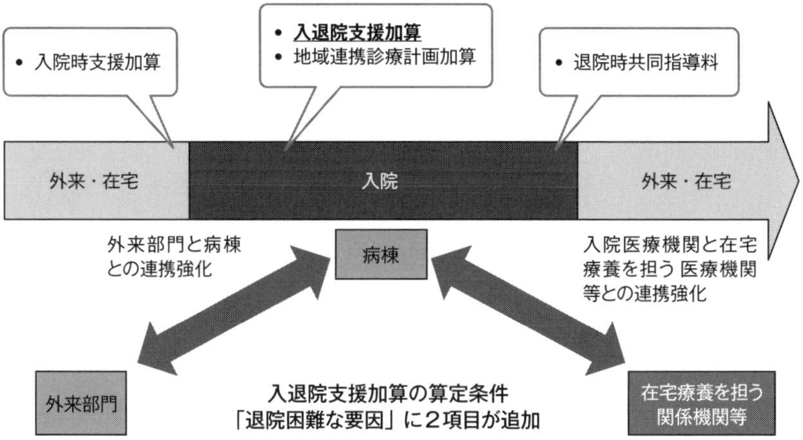

（資料）中央社会保険医療協議会 総会（第486回）資料を、みずほリサーチ＆テクノロジーズが一部改変

多様な当事者それぞれの想いに伴走することが、支援の第一歩となる

もちろん、ヤングケアラー・若者ケアラーは一様ではない。ケアに時間や体力を奪われ、追い詰められた当事者は、「ケアさえなければ…」と悔しさをにじませるかもしれない。一方で、大事な人を支えることを生き甲斐としている当事者は、自らが支援対象と見なされることに違和感を覚えるかもしれない。さらに言えば、これら二つの感情を同時に抱く当事者もいるだろう。

しかし、どんな当事者にとっても、ケア経験が「人生の一部」であることは確かだ。そこから生まれた想いに社会が耳を傾けることで、結果的に当事者がヤングケアラー・若者ケアラーであること／あったことに何らかの意味を見出すことができれば、それは当事者が未来を生きる上での基盤となりうる。

ヤングケアラー・若者ケアラー支援の第一歩は、ケアによって失われたものを決めつけることではない。大切なのは、多様な当事者それぞれがケア経験をどうとらえているのかに耳を傾け、伴走しながら、ともに議論を進めていくことなのではないだろうか。

49 心理的安全性

組織における「心理的安全性」との向き合い方

「心理的安全性」とは何か

近年、「心理的安全性」に注目する経営者、管理職が増えている。心理的安全性とは、「率直に発言することや、懸念・疑問・アイデアを話すことへの不安や恐れを感じない状態」のことである。

心理的安全性という概念自体は20年以上前からあるものだが、2015年にGoogle社が、成功しているチームに共通する5つの因子を挙げ、その中でも「心理的安全性が特に重要である」と発表して以来、注目度が高まった。

心理的安全性がもたらす影響

組織において心理的安全性が高まると、知識やアイデアの共有が進み、イノベーションが活発化したり育成が進んだりすることや、ミスや失敗を報告する風土の醸成が効果として期待される。心理的安全性が高い場合には、率直な発言や、懸念・疑問・アイデアを話すことへの不安が小さく、心理的安全性が低い場合には、同様の不安が大きい状態になっている。この状態の違いは、単に行動の違いとして現れるだけでなく、周囲や組織に影響をもたらす。

たとえば、心理的安全性が高い人は、わからないことがあればすぐに周囲に尋ねる。これが受け止められた場合、周囲は「わからないことを聞いても大丈夫なのだ」と認識し、質問をするようになる。すると、組織において知識やノウハウの共有が促進される。一方で、心理的安全性の低い人は、わからないことがあっても、質問の時間をもらう申し訳なさや叱られる恐怖から質問しない。すると、本人の仕事のスピードは変わらず、周囲もその原因に

表1　心理的安全性が高い人、低い人の行動と、周囲や組織への影響

	行動		周囲への影響		組織への影響
不安や恐れが小さい人がもたらす影響	わからないことを質問する	⇒	聞いても大丈夫なのだという認識が広がる	⇒	知識・ノウハウの共有
	ミスを正直に報告する	⇒	ミスをしても理不尽に怒られないと思うようになる	⇒	ミスの早期発見・防止
	アイデアを発信する	⇒	他メンバーが、自分のアイデアも発信してみようと思う	⇒	新しいアイデアの創出
不安や恐れが大きい人がもたらす影響	わからないことがあっても質問しない	⇒	仕事のスピードが変わらず周囲も原因を理解できない	⇒	組織の生産性が向上しない
	ミスを隠蔽する	⇒	上司が重大な損害につながるミスに気づかない	⇒	重大な損害の発生
	意見を求められても発信しない	⇒	一部の人しかアイデアを発信しない状態になる	⇒	新規アイデアが生まれない

（資料）みずほリサーチ＆テクノロジーズ作成

気づかないため、組織としての生産性が改善されない。ミスの報告やアイデア発信においても表1のとおり、類似の違いが発生してくる。

心理的安全性に作用する「不安」や「恐れ」

心理的安全性が低い状態の人が感じる不安や恐れは何に対して、どのように生じるのか、以下ではそのプロセスを明らかにしていく。

「心理的安全性」の第一人者であるエイミー・C・エドモンドソンは、職場環境における対人リスクとして、以下の4つを挙げている。

- 無知だと思われる不安
- 無能だと思われる不安
- ネガティブだと思われる不安
- 邪魔をする人だと思われる不安

上記の不安は、発言した後の展開を予想することで生じている。自身の過去の体験や考え、相手の性格・人柄や過去の言動から、発言した後に起こりそうなシナリオを思い描いているのである。そして、発言するか否かの実際の判断は、このシナリオを許容できるか否かによって行われている。シナリオが自身にとって許容しづらいものだと「不安」だと思うし、そうなることに「恐れ」を感じる。

つまり、発言への不安や恐れとは、発言がどう思われるか、相手はどのように行動し、どのような結果に至るのか、それらを自分が許容できるかというところから生じるのである（図1）。

この「不安」や「恐れ」を払拭するには、「この人になら/この職場でなら話しても大丈夫だろう」というシナリオが描かれるように、想像の基となるポジティブな言動や働きかけを積み重ねていくことが重要となる。

心理的安全性との向き合い方

心理的安全性を高めようとする管理職も増えているが、心理的安全性を高めることを組織マネジメントの一部と理解せず、やみくもに取り組んでしまい失敗する事例も出てきている。たとえば「部下・若手にとって話しやすい雰囲気を作ろうとした結果、上司・先輩が“感じがいい人”になろうとし、本音を隠す」「できない理由や言い訳ばかりを主張し、本来すべき行動をしなくなる」といったことだ。

多くの失敗事例に共通する要因は、「組織のミッション・目的を達成するためにはどのような対話の在り方が重要か」という観点が欠けていることだ。

組織のミッション・目的に応じて、必要とされる「対話の内容・進め方」は異なる。ただ発言を促すのではなく、まずは組織に適した対話の在り方を考え、その上で心理的安全性の高め方を検討すべきである。

具体的には、次のようなプロセスを踏み、心理的安全性と向き合うことを推奨する。

①「自組織のミッション・目的は何か」「組織のミッション・目的からどのような対話の在り方が重要か」を考える。

②①について組織内で共通認識を持つ。

③組織のミッション・目的の達成に向けた対話が自然発生するように、発言したことから良い展開を招く成功実績を作る。

図1　発言への不安を感じる時の思考例

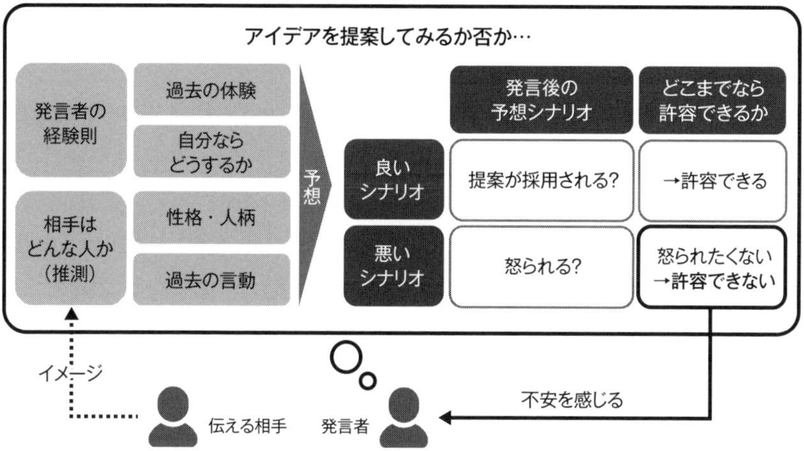

（資料）みずほリサーチ＆テクノロジーズ作成

という流れである。

たとえば、業界動向の変化が激しく、新商品開発等、新規性のある成果が求められる職場では、自由なアイデア出しが重要となると考えられる（①）。新規性の大きな方向感を上司から部下に伝え（②）、部下から新たなアイデアが発信された際には、まずは受け止めて賞賛し、より良くするための意見交換を行いながら実現に向かわせる（③）。

このような流れを事前に想定しておくと、上司は部下に何を伝えないといけないかが明確となり、伝えるべきことを伝えられないという状況が発生しにくくなるだろう。また、部下からの発言においても、何が必要・重要な発言であるかの判断軸ができ、発言内容のコントロールを行いやすくなるだろう。

組織に適した対話の在り方を考えることによって、先に述べた失敗事例のような事象が発生する可能性を下げることができる。「心理的安全性」は、組織のミッション・目的や、それらの達成に向けたマネジメントの在り方に対する構想があって、初めて正しい方向に機能するものであることを忘れてはならない。

50 バッテリー電気自動車

バッテリー電気自動車の普及と充電インフラの課題

中国・欧州を筆頭に世界的に普及し始めたバッテリー電気自動車（BEV）

2050～60年にカーボンニュートラル（以下、CN）実現を目指す動きが世界的に活発化するなか、自動車産業に対しても、厳格かつ急進的な環境規制が政治主導で推し進められており、世界各国でBEVへのシフトが進んでいる。

主要国・地域の2021年のBEV新車販売台数（乗用車）は、中国では約271万台（新車販売台数全体に占める割合、約10％）、西欧5カ国（独・仏・英・伊・西）では約80万台（同約8％）、米国では約49万台（同約3％）となっており、2020年の新車販売台数全体に占めるBEVの割合（中国約4％、西欧5カ国約5％、米国約2％）と比べるとBEV比率は着実に上昇している。

なかでも、中国は世界最大のBEV市場であり、2022年のBEV新車販売台数（乗用車）は500万台に迫る勢いにある。BEVの販売上位モデルは、乗用車全体の販売上位モデルとは異なり、先進的で高級車のブランドイメージのTeslaと車両性能を最低限に抑える一方で、低価格やデザイン性、利便性の高さを実現した宏光MINIとなっており、ハイエンドとローエンドの二極化の様相を見せている。消費者はBEVにこれまでのエンジン車に求められていた車両性能や価格といった価値に加えて、「BEVならでは」といった新たな価値を求めていると言えよう。

日本におけるBEVの動向

日本においては、2021年のBEV新車販売台数（乗用車）は約1万7千台と、新車販売台数全体に占める割合は0.4％にとどまっており、世界の主要国と

図1　世界の主要国のBEV販売台数推移

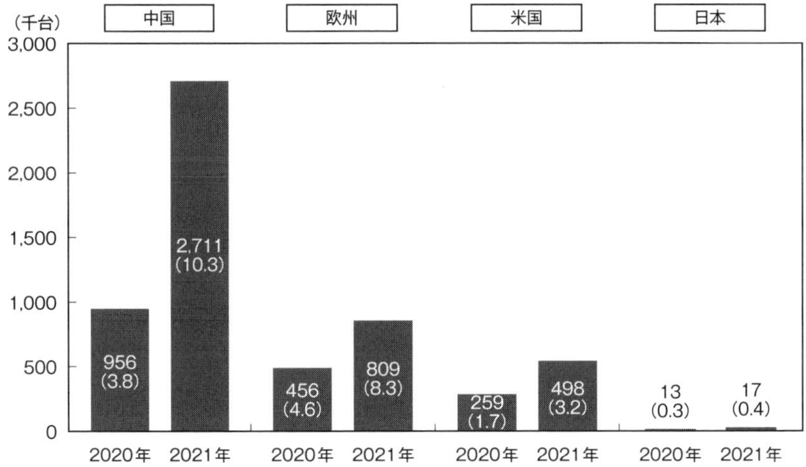

(注)(　) 内は新車販売台数に占める割合 (%)
(資料) MarkLinesより、みずほ銀行産業調査部作成

比べるとBEVの普及は遅れている。

しかしながら、2022年に入って、日産自動車がアリアとサクラ、SUBARUがソルテラ、トヨタ自動車がbZ4XといったBEVの新型モデルを投入するなど、日本においてもBEVの普及が進んでいくと期待される。

他方で、BEVの普及には3つの課題が挙げられる。具体的には、「車両価格」、「バッテリー充電時間」、「充電インフラ整備」であり、今後改善が必要となる。

車両価格については、国・自治体が購入補助金を導入していることで、消費者の資金負担は一定程度緩和されている。しかしながら、現行のエンジン車と比べるとまだ高価であり、今後、量産化による低廉化が進む必要がある。

バッテリー充電時間については、現行のBEVの充電性能では、ガソリン・ディーゼルの燃料充填時間と比較するとかなり長い。そのため、充電時間短縮に向けて高性能で低コストなバッテリーの開発といった技術革新が嘱望される。

充電インフラ整備については、走行中の電池切れといったBEV購入時の不安の解消や現行のエンジン車並みの利便性を確保するために必要不可欠である。今後、BEVが本格的に普及していくにつれて、充電インフラ整備の重要性はより増していく。

日本の充電インフラの整備状況

政府は2021年6月に「2050年カーボンニュートラルに伴うグリーン成長戦略」を発表し、充電器については、2030年までに15万基設置することを目標として掲げた。また、充電器の購入や設置工事の費用に対して補助金を交付し、充電インフラ整備を促進している。

一方で、国内の充電器の累計設置数は、2020年度末で約3万9,000基、実稼働台数は約半数程度である。新規設置台数については、政府の補助金が2013年度に新設されたことを契機に2015年度に約1万9,000基とピークを迎えたが、その後の設置ペースは急激に鈍化し、近年では年間で数百基にとどまる。また、充電器の一般的な使用年数は7～8年とされており、既設の充電器は、今後数年間で更新のタイミングを迎えようとしている状況にある。

こうした状況を踏まえると、国内の充電インフラ整備状況は、政府の補助金によって促進はされているものの、累計設置数や近年の新規設置数を踏まえると十分に進んでいるとは言い難い。

日本における充電インフラの普及を阻む要因

日本で充電インフラの整備が進んでいない理由は、充電ビジネスの採算性や充電料金の課金制度に課題があると考えられる。

まず、充電ビジネスの採算性の課題は、充電器のイニシャルコスト負担が大きい点と充電ビジネスが薄利な点にある。充電器のイニシャルコスト負担が大きい点については、補助金が一定程度交付されているものの、充電器の出力によっては、高圧受電設備の新設も必要となり、数千万円規模の費用負担が必要となる場合もある。また、充電ビジネスが薄利な点については、BEV普及の黎明期である現時点では、充電器の稼働率が低いなか、充電料金の単価は、BEVの普及を促進するために安く設定されていることから、現状では充電料金のみで収益を得るビジネスモデルが成立し得ないのである。

表1　充電ビジネスの課題と対応方針

充電ビジネスの課題		求められる対応
充電ビジネスの採算性	イニシャルコストの負担が大きい	• 充電器価格の低廉化 • 高圧受電設備、工事費用の低減
	充電ビジネスが薄利	• BEVの普及促進 • 需要（時間帯）によって変動する充電料金の設定 • 充電器のスペックや設置コストに見合った充電料金の設定
充電料金の課金制度		• 従量制課金に対応した充電器の開発および制度移行の促進

（資料）みずほ銀行産業調査部作成

次に、充電料金の課金制度の課題は、日本においては多くが時間制課金の料金体系を採用している点にある。欧米では使用した電気量に応じて充電料金が決まる従量制課金が主流なのに対し、日本では法制度の兼ね合いもあり、一律の時間制課金となっている。ユーザーからすると同じ時間でより多くの充電が可能な高出力の充電器を好むが、事業者からすると充電設備の高出力化を進めるほどにイニシャルコストや電気料金が増大するものの、充電料金が変わらないため、設置コストの回収が難しくなる。

以上のような課題が充電器の新規設置や事業者の充電ビジネスへの新規参入を妨げており、充電インフラの整備が進んでいないことに影響していると考えられる。充電ビジネス単独でビジネスモデルが成立しない現状を打破するためには、他事業とのシナジーを通じて利便性を顧客に訴求するとともに、従量制課金制度に移行することが求められる。

なお、特定計量制度の新設（2022年4月）により、一定の基準の下で計量法の検定を受けていない計量器でも電力計量が可能になることから、今後、従量制課金に対応する充電器の開発が促され、制度移行が進むと期待される。

日本は電源構成に占める化石燃料由来の比率が高いため、拙速なBEVシフトは必ずしもCNに貢献するわけではない。しかしながら、世界的に進展するBEVシフトに極端に遅れることは日本の自動車産業の競争力に影響を及ぼしかねないため、今後、官民を挙げた取り組みが欠かせない。

COLUMN

気になる経済統計データ（その5）

希望出生率「1.8」

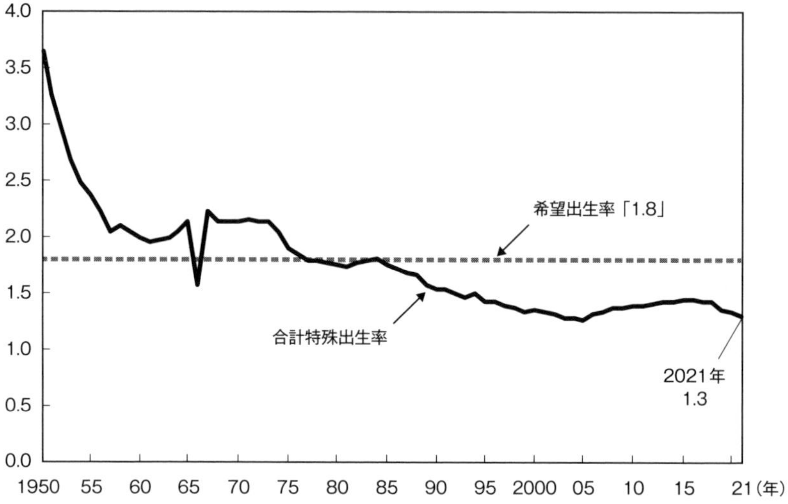

（資料）厚生労働省より、みずほリサーチ＆テクノロジーズ作成

◆希望出生率とは、若い世代における、結婚や子どもの数の希望が叶うとした場合に想定される出生率の水準を指す。2015年に政府が「一億総活躍社会」の実現に向けた取り組みのうち、少子高齢化を解決するため掲げた目標である。

◆しかし、合計特殊出生率（一人の女性が一生に産む子どもの数）の推移をみると、1985年以降、希望出生率の1.8を大きく下回っており、2021年は1.3と6年連続で低下し、少子高齢化に歯止めがかからない状況である。

◆少子高齢化の原因として、若者の雇用不安や資金不足、結婚願望の低下を背景とする未婚化・晩婚化に加え、仕事と子育ての両立困難を背景とする有配偶出生率の低下がある。政府はこれまでも対策を打ち出してきたが、現在まで解決に至らず、今後さらに少子高齢化が加速することが危惧される。

索引

サ行

タ行

ナ行

ハ行

マ行

ヤ行

ラ行

ワ行

執筆者一覧

みずほリサーチ&テクノロジーズ

中尾　武彦	（理事長）	はじめに

みずほリサーチ&テクノロジーズ　調査部

太田　智之	（チーフエコノミスト）	第I部
安井　明彦	（首席エコノミスト）	第II部第２章
小野　亮	（プリンシパル）	第II部第２章、３章
菅原　淳一	（プリンシパル）	第II部第４章
酒井　才介	（経済調査チーム主席エコノミスト）	第II部第１章
服部　直樹	（経済調査チーム主席エコノミスト）	第II部第１章、４章
江頭　勇太	（経済調査チーム上席主任エコノミスト）	第II部第３章
風間　春香	（経済調査チーム主任エコノミスト）	第II部第１章
川畑　大地	（経済調査チームエコノミスト）	第II部第２章
諏訪　健太	（経済調査チームエコノミスト）	第II部第１章
中信　達彦	（経済調査チームエコノミスト）	第II部第１章
南　陸斗	（経済調査チーム）	第II部第１章、３章
小林　公司	（アジア調査チーム主席エコノミスト）	第II部第２章、４章
対木　さおり	（アジア調査チーム主席エコノミスト）	第II部第２章
伊藤　秀樹	（アジア調査チーム上席主任エコノミスト）	第II部第２章
月岡　直樹	（アジア調査チーム主任エコノミスト）	第II部第２章
田村　優衣	（アジア調査チームエコノミスト）	第II部第２章
越山　祐資	（アジア調査チームエコノミスト）	第II部第２章
宮嵜　浩	（総括・市場調査チーム主席エコノミスト）	第II部第４章
川本　隆雄	（総括・市場調査チーム主席エコノミスト）	第II部第３章、４章
井上　淳	（総括・市場調査チーム上席主任エコノミスト）	第II部第３章
上村　未緒	（総括・市場調査チーム上席主任エコノミスト）	第II部第３章
坂本　明日香	（総括・市場調査チーム主任エコノミスト）	第II部第３章、５章
嶋中　由理子	（総括・市場調査チームエコノミスト）	第II部第３章
白井　斗京	（総括・市場調査チームエコノミスト）	第II部第１章、３章

みずほリサーチ&テクノロジーズ　コンサルティング本部

森　史也	（サステナビリティコンサルティング第2部 主任コンサルタント）	第Ⅱ部第4章
杉田　裕子	（社会政策コンサルティング部 主任コンサルタント）	第Ⅱ部第4章
佐藤　渓	（社会政策コンサルティング部 主任コンサルタント）	第Ⅱ部第4章
伊藤　慎一郎	（デジタルコンサルティング部 上席主任コンサルタント）	第Ⅱ部第5章
石井　正宏	（デジタルコンサルティング部 主任コンサルタント）	第Ⅱ部第5章
井出　有紀	（社会政策コンサルティング部 コンサルタント）	第Ⅱ部第5章
竹内　誠也	（経営コンサルティング部 コンサルタント）	第Ⅱ部第5章
市川　茉耶	（経営コンサルティング部 コンサルタント）	第Ⅱ部第5章
竹田　菜穂子	（経営コンサルティング部 コンサルタント）	第Ⅱ部第5章

みずほ銀行　産業調査部

小嶋　健太	（総括チーム）	第Ⅱ部第4章
山崎　亮	（資源・エネルギーチーム）	第Ⅱ部第4章
小島　僚太	（次世代インフラ・サービス室戦略プロジェクトチーム）	第Ⅱ部第4章
野村　卓人	（資源・エネルギーチーム）	第Ⅱ部第5章
山口　意	（テレコム・メディア・テクノロジーチーム）	第Ⅱ部第5章
高野　峻	（テレコム・メディア・テクノロジーチーム）	第Ⅱ部第5章
菊地　淳史	（テレコム・メディア・テクノロジーチーム）	第Ⅱ部第5章
佐藤　多嘉大	（総括チーム）	第Ⅱ部第5章
齋藤　裕貴	（自動車・機械チーム）	第Ⅱ部第5章

みずほリサーチ&テクノロジーズ
エコノミスト・研究員一覧

【著者紹介】
みずほリサーチ&テクノロジーズ
2021年、みずほ情報総研、みずほ総合研究所、みずほトラストシステムズの合併により発足。ハイレベルなリサーチ、コンサルティング、ITデジタルに関する知見を融合し、社会へ新たな価値を提供する日本有数のシンクタンク。リサーチ部門では、経済・金融のスペシャリストが付加価値の高いマクロ情報の提供、政策提言を行う。コンサルティング部門では、企業や官公庁、地方自治体のあらゆる課題解決をサポート。IT部門では、高度なデータ分析やシステム設計力・実装力を活かして社会やビジネスが直面する課題に取り組んでいる。

東洋経済オンライン
みずほリサーチ&テクノロジーズ記事一覧

経済がわかる　論点50　2023

2022年12月1日発行

著　者——みずほリサーチ&テクノロジーズ
発行者——駒橋憲一
発行所——東洋経済新報社
〒103-8345　東京都中央区日本橋本石町 1-2-1
電話＝東洋経済コールセンター　03(6386)1040
https://toyokeizai.net/

装　丁…………橋爪朋世
D T P…………アイランドコレクション
印　刷…………港北メディアサービス
製　本…………積信堂
編集協力………川島睦保
編集担当………若林千秋
　ISBN 978-4-492-39670-4